L'avant :
les chemins de pieds

Ce qu'il y a de plus caché chez moi, c'est pro-
bablement le sens du sacré, c'est la foi, la foi
qu'on a dans les autres, c'est la foi horizontale, et
la foi verticale, la foi en d'autres choses. Les morts
ne sont pas morts, il y a une vie après la vie. Ce
qu'il y a de caché chez moi, c'est la prière. Prier,
c'est de bonne santé dans la pratique, dans l'ordi-
naire, comme d'autres diraient méditer. Méditer,
c'est à la portée de tout le monde. Prier, c'est à la
portée de tout le monde… et si ça leur fait du
bien ! Moi, j'ai la preuve que ça a fait du bien à
mon père, à ma mère et à ma sœur et à beaucoup
de monde. Alors, pourquoi pas[1] *?*

Ces mots d'une autre époque sont de Gilles Vigneault. Un acte
de foi qu'il a révélé à la toute fin d'un entretien avec l'anima-
trice Marie-France Bazzo, alors qu'elle animait l'émission

---

1. *Indicatif présent*, Première Chaîne ; Radio-Canada, entrevue avec Marie-France
   Bazzo, 26 août 2003.

Indicatif présent à la radio de Radio-Canada, le 26 août 2003. C'est un ami qui m'a mis sur la piste de cette entrevue à première vue surprenante de Gilles Vigneault et qui a eu l'intuition de cette rencontre avec notre grand poète québécois.

Autre surprise de la part de notre chansonnier qui, pour ses 80 ans, s'est fait un cadeau en composant une grand-messe, un vieux rêve caressé pendant de longues années. Une grand-messe pour orchestre présentée au Palais Montcalm de Québec en octobre 2008. Mais une messe a de quoi surprendre dans le Québec du XXIᵉ siècle, qui vient de boucler la boucle de sa laïcisation, du moins le pense-t-il, en sortant de ses écoles un des derniers vestiges de son passé, l'enseignement religieux, au profit d'un enseignement d'éthique et de culture religieuse, où le catholicisme partage la tribune avec les autres grandes religions. D'autant plus que les Québécois ont encore frais en mémoire le conflit des accommodements raisonnables, qui a permis de mesurer le désarroi de nombreuses personnes sur la place du sacré dans la sphère publique.

Cependant, quand on scrute de plus près l'œuvre de Gilles Vigneault, on n'est plus surpris de ses gestes, de son engagement, de sa fidélité, de sa foi. Dans ses poèmes, dans ses chansons, surtout les plus récentes, plus explicites, l'auteur a jalonné ses textes de mots-clés. Certaines chansons sont des cantiques, où Vigneault s'interroge et interpelle Dieu.

À la fin de l'entretien de 2003 avec Marie-France Bazzo, on nous a présenté une des plus récentes chansons de Gilles Vigneault, la dernière de son recueil *Les gens de mon pays*[2], « Entre vos mains » :

2. Gilles VIGNEAULT, *Les gens de mon pays : l'intégrale des chansons enregistrées par l'artiste*, Éditions de L'Archipel/Édipresse, 2005, p. 436-437.

Je ne sais quel vent
J'aurai dans ma voile
Je ne sais quel jour
On m'appellera
Mais en attendant
Je taille la toile
Je marche à l'étoile
Sans compter mes pas

Je ne sais quel feu
Lavera mon âme
Quelle nuit d'été
Quel matin d'hiver
Mais pour vivre un peu
Je laisse une flamme
Veiller sur la trame
Du temps que je perds

Mon âme tremble
Entre vos mains
Et mon chemin
Vous ressemble

Je ne sais quel bois
Retiendra ma cendre
Déjà je me vois
Les bras pleins d'oiseaux
Je reste sans voix
Les mots les plus tendres
Ont toujours à vendre
La mort d'un roseau

Je ne sais quelle eau
Il me faudra boire
Je ne sais quels fers
Me faudra briser
Pour que mes yeux clos
Deviennent mémoire
Fermés sur la gloire
D'un premier baiser

Mon âme tremble
Entre vos mains
Et mon chemin
Vous ressemble

Ne me cherchez plus   Ne regrettez rien
Quand il sera l'heure   Je fus ce fantôme
J'aurais déjà mis   Je fus ce miroir
Entre vous et moi   Qui vous répondit
Tout ce qui m'a plu   J'étais musicien
Dans votre demeure   Des mêmes atomes
Tout ce dont je meurs   J'avais dans ma paume
Et vis à la fois   Ce départ inscrit

Mon âme tremble
Entre vos mains
Et mon chemin
Vous ressemble

Mon âme tremble
Entre vos mains
Que mes chemins
Vous rassemblent

En reprenant la lecture des textes de Gilles Vigneault, en écoutant ses chansons, en relisant certaines de ses entrevues, j'ai senti le désir d'aller plus loin avec lui, de comprendre comment il avait, dans la tourmente du dernier demi-siècle, gardé intacte cette foi héritée de ceux et celles qui l'ont précédé.

J'ai sollicité le privilège de marcher à ses côtés pendant quelques heures, en empruntant « les chemins de pieds » de ses almanachs, qu'il décrira ainsi :

> *Un jour, j'irai par les chemins de pieds* [...] *De ces chemins très lents seulement mesurés par les pas et par ceux-là creusés. Ces chemins-là sont les rides sur le visage immense et petit de la terre. Et creusés par les larmes et les rires du voyage. Par la fatigue aussi. Et la patience de générations de marcheurs.*

> *Chemins de pieds.* [...] *On les appelait ainsi au pays de l'enfance parce qu'ils traversaient le village. Avec l'air d'avoir le droit de passer sur le terrain du voisin, entre sa maison et son jardin* [...] *Les lignes de la main du village reliaient les maisons et leurs dépendances.*

> *Et ces chemins venaient des premiers pas posés sur ces terres nouvelles par les Montagnais quelques millénaires avant nous. Ils nous ont laissés prendre les pas et même les souliers qu'ils faisaient de leurs mains en peau de caribou, ce qui donnait l'impression de caresser la terre avec les pieds*[3].

Gilles Vigneault a accepté ma présence à ses côtés.

---

3. Gilles VIGNEAULT, *Les chemins de pieds*, Nouvelles éditions de L'Arc, 2004, p. 9-10.

Le premier « Je crois »

Les îles de l'enfance[4]

Les îles de l'enfance
Dorment sur l'eau du Temps.
On ne saurait y revenir
Qu'avec des pas d'enfant.
On ne saurait les retenir,
L'eau et le vent
S'en vont devant
Sans emporter un souvenir.

Le calme des eaux,
Le bruit des roseaux,
Le chant des oiseaux
Habitent ma tête

Les couleurs du Temps,
Les odeurs du Vent,
Les soleils levants
Habitent mon cœur.

---

4. Gilles VIGNEAULT, *Bois de marée*, Nouvelles éditions de L'Arc, 1992, p. 179-180.

Les îles de l'enfance
Dorment sur l'eau du Temps.
On ne saurait y revenir
Qu'avec des pas d'enfant.
On ne saurait les retenir,
L'eau et le vent
S'en vont devant
Sans emporter un souvenir.

Puisque c'est ton tour
Vogue, rêve et cours
Dans les anciens jours
Et remplis la tête.

Regarde avec soin
Secrets et grands foins…
Prends-en plus que moins
Et remplis ton cœur.

Il en va sans doute de la foi comme de la langue : elle prend souvent racine dans les bras des parents. Premiers mots de la langue maternelle et premières prières naïves d'une foi parentale transmise de génération en génération… des mots et des prières répétés quotidiennement. Langue et foi qu'on pourra ensuite remettre en question, rejeter, oublier ou assumer, selon la liberté de chacun.

Contre vents et marées, Gilles Vigneault a défendu sa langue maternelle, qu'il maîtrise admirablement bien, au point de faire vivre encore de vieux mots français de notre patrimoine, comme il a redonné vie à des personnages savoureux de son coin de pays. Nous le savons par ses chansons, ses poèmes, son œuvre.

Nous savons moins comment il a gardé intacts des actes de foi hérités de son enfance, les assumant pleinement dans un monde qui cherche de plus en plus à les oublier.

Soumission ? Fidélité ? Comment a-t-il résisté à la tentation de tout abandonner de la foi héritée de son enfance, et assumée pour la première fois à la fête de Noël de ses cinq ans ?

Gilles Vigneault, de quoi était faite la foi de vos parents ? Votre mère, qui a vécu centenaire, a perdu plusieurs enfants…

Sur huit enfants, elle en a perdu six ! Ma sœur et moi sommes les deux seuls à être parvenus à l'âge adulte !

De quoi était donc faite la foi de vos parents pour arriver à accepter de voir disparaître autant d'enfants ?

Je crois que leur foi était faite de fidélité. D'ailleurs, les mots « foi » et « fidélité » proviennent de la même racine. Leur foi était faite d'une sorte de fidélité à ce que leurs parents avaient été et vécu. Ils la tenaient de leurs parents, ils l'avaient reçue dans l'enfance. Ils croyaient peut-être naïvement… mais peut-être croit-on toujours naïvement ! Peut-être est-ce plus prudent. Peut-être est-ce aussi intelligent que de croire avec la connaissance et la pratique quotidienne du doute. Croire naïvement est peut-être la seule façon de croire : être naïf devant soi-même, devant les autres, devant ce qui arrive dans la vie, dans la nature, par exemple.

Mes parents croyaient par fidélité à ce qu'avaient été leurs ancêtres, et peut-être aussi par commodité. Il y a en effet quelque chose de commode dans la foi. Il y a là une sorte de panacée.

D'autres ont appelé cela l'« opium du peuple ».

Oui, bien sûr ! Je me demande quel genre de psychotropes on a offerts aux gens à la place de l'« opium du peuple »… mais ça, c'est une autre question.

Il y avait dans cette foi-là quelque chose de commode et, en même temps, de réconfortant. Une sorte de réconfort dans l'inconfort constant qu'était la vie de mes parents. Je ne sais pas bien de quoi était faite la foi de mes parents, mais dire qu'ils croyaient, et à ce point-là, la décrit déjà un peu.

Mon père a eu beaucoup de mal à survivre à la mort de mon frère Yvon, qui avait neuf ans. Il a vécu énormément de désespoir. À l'époque, il travaillait à l'extérieur, à Kegaska. Il avait fait 30 milles à pied, à la course, sur la grève, pour arriver à la maison et trouver son fils de neuf ans enterré au cimetière. D'après ce que j'ai pu comprendre, il a pensé quelques fois à s'enlever la vie au cours des années qui ont suivi le drame. Quand il était tout seul à la chasse sur les plaines, par exemple, essayant de capturer un lièvre ou un renard ou les deux… avant que l'un ne mange l'autre. Je me demande ce qu'il dirait aujourd'hui à m'entendre parler comme ça ! Mais y penser est une chose… le faire en est une autre. Il ne l'a jamais fait ! N'oublions pas que c'était un croyant !

Faites-vous un lien entre la foi et sa décision de poursuivre sa route, malgré tout, de ne pas s'enlever la vie ?

Il y a un lien entre la foi et l'espoir d'une vie de l'autre côté de la mort. On appelle cela une vie, mais on ne sait pas ce que c'est. Qu'il y ait quelque chose ou qu'il n'y ait rien fait une énorme différence dans ma foi et dans la foi de bien des gens. Pour les personnes qui songent au suicide aussi, je crois, dans un sens comme dans l'autre, d'ailleurs : que ce soit parce que cette vie ne vaut plus la peine d'être vécue et qu'après il n'y a rien… ou bien parce que de l'autre côté il y a quelque chose qui est peut-être mieux, plus intéressant, que de ce côté-ci ! Dans un sens ou dans l'autre, cela fait une différence.

Votre propre foi est née dans cet univers de foi naïve, dans un monde isolé où la foi était affirmée sur la place publique. Vous souvenez-vous de votre premier « je crois », de votre première prise de conscience de la foi ?

Chez nous, c'est toujours moi qui décore l'arbre de Noël. Et chaque année, je fais une crèche avec beaucoup de personnages, des santons, puis les rois mages qui arrivent en dernier. Par sens du rituel, c'est seulement le 24 décembre au soir, à minuit, que je place l'Enfant Jésus dans la crèche.

Pas avant. Le rituel m'aide beaucoup. Et je me souviens d'un « pouvoir » que mon père m'a donné, alors que j'avais cinq ans. Chaque année, pour le temps des Fêtes, le curé de Natashquan faisait faire une très grosse crèche, où nous allions prier le petit Jésus. L'année de mes cinq ans, mon père m'avait emmené devant la crèche et m'avait dit : « Demande au p'tit Jésus qu'il nous apporte de la "gâgne" », c'est-à-dire de quoi gagner notre vie. Mon père avait foi dans les prières d'un enfant. J'avais donc demandé au petit Jésus, avec toute la sincérité et la ferveur de mon âme, de tout mon cœur, de tout mon être, qu'il procure à mon père de quoi gagner sa vie. Et c'est ce qui s'était produit ! Je n'ai pas cru que c'était moi tout seul qui l'avais obtenu ou que c'était le petit Jésus qui m'avait exaucé. Je ne savais rien. Tout ce que je savais, c'est que je l'avais demandé à Jésus et que nous avions réussi à vivre pendant toute l'année suivante… et puis les autres années aussi. Tout cela fait partie de la naïveté de la foi de mon père et de la mienne. Mais sans nécessairement s'en douter, mon père m'avait donné, avec sa foi, un énorme pouvoir.

Sans dogme, sans rien imposer…

Sans dogmes, sans définitions, sans apologétique. Il m'avait donné un pouvoir considérable sur notre vie à tous, et il m'avait appris la prière. Il m'avait appris que la prière pouvait être utile. Je n'avais pas encore compris la force et l'importance de la prière. Mais mon père me l'a enseignée dans ce décor particulier, avec un rituel bien établi que nous suivions chaque année, avec un territoire, des limites et des balises, des frontières… de l'ordre à la place du chaos. Mon père m'enseignait ainsi que la prière était un pouvoir, qu'elle allait dans le sens du bien, qu'elle était bonne pour moi, pour lui, pour toujours. Mais il ne le savait pas. Il le croyait ! Il n'avait, de prime abord, aucune intention pédagogique. Il me faisait part du don qu'il avait lui-même reçu, probablement au même âge que moi, et me le transmettait. C'est cela, la tradition : *tradere,* faire passer d'un pays à l'autre, *trader,* faire passer d'une personne, d'une âme à une autre. Je n'ai jamais oublié cette émotion et en même temps cette espèce de responsabilité qui m'était tombée sur les épaules. « Tu as la responsabilité de me procurer du travail », m'avait-il dit sans grand discours.

Encore fallait-il que la prière soit exaucée !

C'était quand même moins lourd que les dogmes. Cela se faisait sans règlements sévères et, surtout, sans peur de l'enfer. Ce n'était pas une charge effrayante, ça me grandissait ! Voilà comment *croire* fait *croître,* dès le début.

Vous avez dit : « sans peur de l'enfer »…

Oui, j'insiste beaucoup et je n'ai pas fini d'insister là-dessus. Par ailleurs, dans mon enfance, j'ai eu énormément peur du diable. Je me réveillais la nuit, mes parents étaient obligés de me coucher avec eux. Ça ne dérangeait pas beaucoup ma mère, mais je crois que ça dérangeait un peu plus mon père… [*rires*]

Je rêvais que je voyais le diable, avec ses chaînes, monter l'escalier. L'imagerie du catéchisme, en somme. Je n'avais pas de chambre à moi, je dormais dans le corridor. Mais ce n'était pas grave! J'avais un lit et un toit au-dessus de la tête. On n'a pas idée de la richesse d'une telle enfance! Premier bienfait de mon « royaume » : je savais que mes parents étaient mes parents pour toujours, qu'ils s'aimeraient pendant toute ma vie. C'est un bon départ! Je savais que mes parents demeureraient toujours ensemble. Quelle sécurité, quelle richesse, quelle assurance! Quelle chape d'invisibilité et de pouvoir! De plus, je n'ai jamais eu peur que mes parents se retrouvent à la rue, qu'ils n'aient plus de quoi payer le loyer. Nous avions un toit sur la tête, quelle fortune! Je n'aurais pas eu une telle assurance en ville.

Il y avait à Natashquan toutes sortes de choses comme celles-là, terriblement rassurantes, dont je n'étais pas vraiment conscient. J'en ai conscience aujourd'hui. La vie là-bas était toute simple, naïve, saine, sans technologie. Nous cherchions tout simplement à bien nous conduire envers les autres et envers la nature, avec les connaissances dont nous disposions à l'époque.

Nous avions tout ce que les milliardaires de ce monde achètent à prix d'or. Nous avions le silence. Partout ailleurs, il y a du bruit. Non seulement un bruit de fond, mais un bruit de surface. Un bruit continu. Il y a du bruit dans la ville. Toute la ville est bruyante. Le monde est bruyant. Nous avions le silence.

La nuit, nous avions la nuit. Une vraie nuit. Une nuit non éclairée, non « éclairable ». Une nuit éclairée uniquement par la lune et les étoiles. Nous avions une vue sur le ciel. L'hiver, le printemps, l'été, l'automne. Les aurores boréales… Au-dessus de nos têtes, l'infini des cieux.

Derrière la maison, nous avions l'infini de la forêt, avec les animaux qui l'habitaient. Devant, l'infini de la mer et de ses poissons, l'infini de la plage, l'infini des grains de sable, nombreux comme les étoiles dans l'Univers.

Nous avions de quoi manger et de quoi boire, tous les jours. Des parents qui nous aimaient. Une connaissance intime de notre histoire, au moins immédiate, de l'histoire de notre famille, de notre village. Des liens avec nos ancêtres, nos grands-parents, avec lesquels nous pouvions communiquer. Des rituels. La confiance en nous-mêmes et en ceux qui nous entouraient. La foi.

Nous avions toutes ces choses, et cela nous semblait tout à fait naturel. Toutes ces choses recherchées aujourd'hui à prix d'or et qui se raréfient de plus en plus. Nous croyions que tout le monde avait cela. On me dira peut-être que, dans un tel contexte, on pouvait se payer le luxe de la foi. La foi n'était pas un luxe, mais un préalable !

Pour pouvoir survivre ?

Non, la foi allait avec le reste. Il était facile de croire. Quand on est au milieu de tout cet Univers, quand on prend conscience de notre galaxie, des milliards d'autres galaxies…

J'ai souvent pensé à Voltaire qui disait : « Je ne puis songer que cette horloge marche et n'ait point d'horloger. »

Toutes ces richesses dont nous disposions, elles représentent pour moi le royaume dont j'étais volontiers le prince. Vous savez, le royaume, sur la terre, appartient à celui qui décide d'en être le prince. Le ciel appartient à qui le regarde. L'étoile dont on sait le nom appartient à l'enfant qui chaque soir la recherche et peut se dire : « Ça, c'est mon étoile ! » La mer appartient à qui la parcourt. Le champ, à qui le cultive. C'est posséder beaucoup, tout cela. C'était posséder beaucoup.

Cela me fait penser à votre chanson « Au jardin de mon père [5] », où vous parlez de guerre, d'environnement :

Un jour des gens de guerre
Ont rempli l'horizon
Ont cassé la barrière
Et crevé mon ballon
Sous le pont
[…]

Ont vidé la rivière
Et pris tous les poissons
Ont pris toutes les pierres
Pour nourrir leurs canons
Sous le pont

Ont tué père et mère
Et brûlé la maison
Moi, je les ai vus faire

5. *Les gens de mon pays*, p. 407-408.

Caché dans le bas-fond
Sous le pont

[...]

Moi je fais mes prières
Je sais bien ma leçon
Si Dieu les laisse faire
C'est qu'il a ses raisons

Devant la violence, les difficultés, la mort, Dieu... laisse faire ? Il n'y a pas beaucoup de réponses dans cette foi naïve dont vous parlez !

Non. En tout cas, la foi n'a pas réponse à tout. Et elle ne prétend pas avoir réponse à tout.

Votre foi est née dans l'univers de Natashquan, où vous avez côtoyé des populations autochtones.

Oui, et leur Grand Esprit valait bien le nôtre ! [*rires*]

Même si les Indiens, à l'époque, ne se rendaient pas très loin dans l'église quand ils y entraient... ils préféraient rester à l'arrière.

C'était en raison du racisme habituel. Appelons cela la peur. Les Indiens avaient peur de nous. Nous avions peur d'eux. En même temps, nous nous côtoyions et nous avions appris les uns des autres assez pour contrôler nos peurs. En 155 ou 160 ans de coexistence parallèle parfaitement pacifique, pas un seul meurtre n'a eu lieu. Il y avait, de part et d'autre, une grande volonté de s'entendre. Chez nous, les bébés ne naissaient pas dans des choux; on nous disait que c'étaient les Indiens qui les apportaient. J'ai appris récemment que chez les Indiens, c'était un Blanc qui apportait les bébés! On a besoin de l'autre, de l'«étrange», pour expliquer aux enfants l'étrangeté de la vie et de la mort.

Quand nous allions jouer dehors, nos parents nous disaient de faire attention, de nous méfier. Avec les jeunes Amérindiens, nous avions une communication très, très minimale. Nous apprenions quelques mots dans leur langue : bonjour, merci… Mais l'une des premières expressions que nous apprenions à Natashquan, c'était : « J'ai pas peur de toi! » Comme description de ce qu'est l'humanité, je trouve qu'on ne fait pas mieux!

Au sujet de la peur et du racisme, je me rappelle avoir fait une expérience qui a eu une importance majeure dans ma vie. J'avais sept ans. Tous les matins, je me rendais sur la grève pour ramasser du bois mort, des coquillages, etc. Quel royaume! Je n'en étais pas conscient à l'époque, je me croyais pauvre…

Un jour, j'arrive sur la grève. À environ 30 mètres de moi, j'aperçois un petit Indien d'à peu près mon âge, probablement de ma taille, de ma force. Il me regarde. Je le regarde. Personne ne rit. Nous sommes tous les deux dans l'incertitude et le déséquilibre. Tout à coup, il se met à me poursuivre en courant. J'ai peur, je me mets moi aussi à courir pour m'enfuir. Soudain, je me dis qu'il a à peu près mon âge, que ça n'a pas de bon sens, qu'au lieu de nous courir après nous devrions être en train de jouer ensemble… Alors j'arrête net. Il s'arrête, lui aussi. Et je me mets à courir après lui. Il se sauve. À son tour, il s'arrête et me regarde… Après trois fois de ce petit manège, il éclate de rire. Eh bien, nous avons fini par jouer ensemble sur la grève pendant toute la journée ! Des deux côtés, la peur avait disparu. Si j'ai été le premier à arrêter ma course, à me dire que ça n'avait pas de bon sens, il a été le premier à éclater de rire. Voilà une complicité naïve, simple, sans dogmes, sans enfer, sans règlements… Ce jour-là, j'ai appris que le petit Amérindien n'était pas dangereux. J'ai raconté mon aventure à ma mère. Cela lui a plu. Le soir même, elle l'a à son tour racontée à mon père. Celui-ci a répondu : « Il faudra quand même qu'il fasse attention ! »

Pour lui, la peur n'avait pas complètement disparu…

Mon père côtoyait les Indiens beaucoup plus que moi ! Certains de ses amis étaient des Indiens. Un de ses meilleurs amis, Bastien Malec, était Indien. Mon père le considérait comme un égal. Véritablement. Ils travaillaient ensemble, ils passaient des journées entières ensemble. Mon père parlait un peu le montagnais. Bastien parlait un peu français. Ils arrivaient à se comprendre.

Mon beau-frère, Ti-Camp, était un homme extrêmement intelligent. En conversant dans le bois avec des Indiens, en apprenant leur langue, il en était venu à se composer une grammaire et un dictionnaire indiens. Il saisissait tellement bien la langue qu'il comprenait les blagues que les Indiens faisaient entre eux! Il m'a raconté que lorsqu'ils se trouvaient très loin dans la forêt, dans le coin du lac Masquoireau, par exemple, et rencontraient des chasseurs anglophones de Kegaska, c'est en indien qu'ils communiquaient avec eux. En effet, les anglophones ne parlaient pas français. Les francophones ne parlaient pas anglais. Mais tous connaissaient suffisamment l'indien pour se faire comprendre. C'est anecdotique, mais il est tout de même intéressant de constater que des deux côtés, des gens intelligents, avec des connaissances, des pouvoirs, des manières de faire, des habiletés, des croyances différentes, en sont venus à cohabiter ainsi. Pourquoi? Parce que ni l'un ni l'autre n'exerçait de pouvoir sur son vis-à-vis.

Comment les gens de Natashquan comprenaient-ils le pouvoir d'un curé qui les recevait tous à la confesse?

Ce n'est pas une chose qu'ils analysaient avec soin. Ils l'acceptaient, parce que c'était ainsi que les choses se passaient, et parce que le curé représentait le pouvoir divin. Ce n'était pas un vain mot. Il représentait Dieu. Ne l'oublions pas, c'est au nom de Dieu qu'on se tue encore aujourd'hui.

Et pourtant, vous croyez en Dieu!

Ça doit être très gênant pour Dieu de voir des humains s'entretuer en son nom.

Votre foi était peut-être au départ la foi naïve de Natashquan, mais votre cheminement ne s'est pas arrêté là.

Plus la foi grandit, plus elle se fait accompagner du doute, qui est un compagnon fidèle et précieux.

Le doute vous accompagne ?

Eh oui ! Le doute renforcit la foi ou la détruit.

Avez-vous connu cette part de remise en question, de refus, de rejet qu'ont connue bien des gens dans notre société, où l'on est passé d'une Église triomphante à ce que Fernand Dumont a appelé « une Église rapetissée » ?

Bien sûr ! Une des choses qui m'ont le plus embêté, depuis l'âge de cinq ou six ans, c'était de constater l'attitude de certains à l'égard de l'« autre religion ». Mon père avait un ami anglophone de Kegaska, monsieur Dave King, qui venait souvent nous visiter. Il était anglican. Ma mère disait volontiers : « Monsieur Dave fait sa prière, et il est plus catholique que bien des catholiques. » Et monsieur Dave nous accompagnait à la messe.

Un jour, monsieur Dave a invité mon père à se rendre au *meating*, à l'église anglicane.

On parlait effectivement de leurs *meatings*... c'est pour ça qu'on les appelait « les mitaines ».

Cette fois-là, mon père avait eu la faiblesse de demander au curé si ça posait un problème qu'il participe au *meating*. Le curé lui avait conseillé de ne pas y aller. Moi, j'avais trouvé ça absolument scandaleux et obscène, tout à fait épouvantable! Mon père ne pouvait pas aller à l'église protestante, mais monsieur Dave pouvait venir à l'église catholique. Il y avait quelque chose de ridicule là-dedans. Je me suis donc posé des questions sur la religion, sur ma religion, sur le bon sens de ma religion, des dogmes, des restrictions, des interdits. Après, je me suis questionné sur le péché. Comment se fait-il que nous ayons toutes ces pulsions... et que tout cela soit péché? Parce que le curé l'a déclaré?

Parlez-moi de votre mère. Était-elle originaire de la Côte-Nord?

Ma mère est née à Natashquan. Son père, mon grand-père, était le gardien du phare. Elle s'appelait Marie Wilhelmine Adélaïde Landry. Elle ne voulait absolument pas qu'on utilise ce nom-là. Elle disait : « Juste Marie, ça va être assez. »

Si votre père vous a donné le pouvoir de la prière, dans quelle mesure votre mère a-t-elle influencé votre foi?

Attention! Ma mère était plus dévote que mon père. Elle voyait à ce qu'on fasse nos prières, qu'on assiste aux offices, etc.

Après la mort de votre frère, votre père a pensé au suicide, dites-vous. Et votre mère, comment a-t-elle vécu la perte de six de ses huit enfants? Vous en a-t-elle déjà parlé?

Rarement.

À sa façon, votre mère a aussi eu des contacts avec les Indiens, avec un Indien qui pourrait ressembler à Jack Monoloy. D'ailleurs, Jack Monoloy a-t-il vraiment existé? Et la Mariouche?

Oui, Jack Monoloy a existé, mais l'histoire n'a pas été aussi complexe que celle racontée dans la chanson. J'ai inventé une histoire un peu plus dramatique, plus romantique, pour frapper l'imagination. Mais à l'origine de la chanson, il y a des faits tout simples. Ma mère m'avait raconté que lorsqu'elle était jeune, elle écrivait au courrier des lecteurs du journal *Le Soleil,* une sorte de courrier du cœur où les gens pouvaient échanger des propos, des projets, des intentions. Nous étions abonnés au *Soleil,* chez nous. Au début, quand elle écrivait, ma mère signait « Labradorienne »; après quelque temps, elle s'est mise à signer « Mariouche ». J'avais retenu cela. Et un jour, j'avais alors 16 ou 17 ans, ma mère m'a raconté que, lorsqu'elle était une jeune institutrice, elle avait reçu une bague en cadeau. Elle lui avait été offerte par un monsieur Maloney, qui était de descendance irlandaise et indienne ! Comme c'était un Indien, mon grand-père avait demandé à ma mère d'aller remettre la bague à son propriétaire. Évidemment, j'avais trouvé cela très triste !

Lorsque ma mère a dû « casser maison » au décès de mon père, je lui ai dit qu'il y avait une chose que j'aimais beaucoup chez nous : la boîte à couteaux. C'était une boîte très, très bien fabriquée, dans un bois assez rare, dont l'intérieur était divisé en compartiments pour y placer les couteaux, cuillers et fourchettes. J'ai dit à maman : « En tout cas, si jamais vous donnez votre boîte à couteaux, j'aimerais bien l'avoir. — Alors, prends-la tout de suite ! » Je suis donc reparti avec la jolie boîte. Je l'ai conservée pendant vingt, trente ans. J'y avais mis de vieilles photos de Natashquan, pour l'utiliser tout en respectant son origine. Et un jour, j'ai fait du ménage dans les photos. Jamais auparavant je n'avais examiné la boîte très attentivement. Ce jour-là, j'ai remarqué qu'au fond de la boîte figurait une signature : « Jack Maloney, juillet 1911 ». Celui-ci avait laissé son nom au fond de la boîte ! Je possédais une boîte fabriquée par Jack Monoloy !

Les chansons se fabriquent à partir de très peu de choses. On part d'une petite lueur de rien du tout et l'on en fait un grand incendie ou un énorme feu d'artifice ! [*rires*]

Qui vous dit que c'était « une petite lueur de rien du tout » dans le cœur de votre mère, cette signature au fond d'une boîte à couteaux dont elle connaissait la provenance ?

Oh ! C'était peut-être bien plus que ce que j'en ai pu saisir. Mais je crois qu'il faut laisser à ses proches leurs décisions, sur ces sujets. Je ne me serais pas permis d'ouvrir les coffres qu'elle avait fermés…

Le premier départ

Voyageries [6]

Le pas que je fais aujourd'hui
N'efface pas celui que je fis hier.
Le chemin qui va sur demain
Ne détruit pas celui qui m'a mené ici.

Un exil volontaire : le cours classique

Que dirait aujourd'hui un adolescent de 13 ans à qui l'on offrirait, pour pouvoir étudier au-delà de l'école primaire, de s'exiler à des centaines de kilomètres de son milieu pendant huit ans, avec de courtes périodes de retour, deux mois par année ?

Le collège classique, un monde réservé à une minorité d'enfants, moins de 10 % des jeunes y avaient accès : enfants de l'élite, de la petite et grande bourgeoisie, ou enfants talentueux plus pauvres, parrainés par des plus riches et qu'on acceptait bien souvent dans l'espoir qu'ils choisissent la « bonne vocation », la prêtrise.

6. *Les chemins de pieds*, p. 127.

Le collège classique, un système d'études, imprégné de catholicisme, hérité des Jésuites, dirigé par des clercs. Un système d'éducation qu'on désignait autrement que par le flou des secondaires un, deux, trois, quatre, cinq, et cégep un et deux du temps présent. Un système où les mots donnaient un sens à la démarche : éléments latins, syntaxe, méthode, versification, belles-lettres, rhétorique, suivis des deux années de philosophie.

Le collège classique, un monde qui avait ses limites, mais qui était presque la seule voie conduisant à des études supérieures. La voie royale de l'époque.

Gilles Vigneault a connu cet exil nécessaire. Il a vécu dans cette serre chaude du catholicisme, mais il n'est pas devenu prêtre pour autant.

Peut-être pas, mais...

Nous avons parlé de la foi de votre enfance, vécue à Natashquan. Mais une partie de ce que vous êtes aujourd'hui s'est construite ailleurs. Vous avez écrit : « Le pas que je fais aujourd'hui n'efface pas celui que je fis hier. Le chemin qui va sur demain ne détruit pas celui qui m'a mené ici. » Et vous avez ajouté, en parlant du village de votre enfance : « Natashquan m'a tout appris sur le monde et sur moi-même. Mais c'est à Montréal, à Paris, à Londres, à New York, à Madrid et à Kyoto que j'ai compris cela. Comme on retrouve, au bout d'un chemin de pieds sur les plages de l'enfance, une bouteille

avec dedans, le plan d'une île au trésor[7]. » Il vous a donc fallu partir pour découvrir toute la richesse de votre enfance à Natashquan.

Oui ! Je trouve belle cette phrase qu'un homme – dans un conte, dans une histoire ou une chanson, peut-être – pourrait dire, avant de s'éloigner de sa femme : « Permets-moi d'aller au loin me souvenir de toi. Permets-moi d'aller devenir ce que je ne suis pas encore et de revenir avec dans mon bagage un peu plus à t'offrir. » Il faut perdre des choses pour, un jour, les retrouver plus complètes et plus assimi-lées, plus assimilables aussi. C'est quand on s'éloigne de Natashquan que l'on s'aperçoit de ce que c'était, de ce qu'on avait et de la chance qu'on a eue de naître dans un endroit comme celui-là.

Quand des touristes en visite à Natashquan s'exclament : « C'est ici que la route finit », j'aime bien entendre Magella, Rosaire ou Nénel leur dire : « Non, non, vous vous trom-pez ! C'est ici qu'elle commence ! » C'est une question de point de vue.

Il vous a donc fallu partir, aller vous perdre ailleurs pour mieux vous découvrir…

Oui, c'est quand on est bien perdu, loin de soi, que souvent on se retrouve. C'est loin de ce qu'on a été qu'on se décou-vre soi-même.

---

7. *Les chemins de pieds*, p. 143.

Vous avez donc pris le chemin du collège classique. Le séminaire, comme on le disait à l'époque. Quelle a été la réaction de vos parents à votre départ?

Quand je suis parti pour le collège, mon père a versé quelques larmes et a dit à ma mère : « Ah! Il s'en va pour longtemps. Il ne reviendra pas vivre ici. » Il avait raison, il avait tout vu. Ma mère affirmait que je serais plus heureux comme ça : « Il reviendra, il reviendra! Il se souviendra de nous autres. Et il va nous écrire. C'est sa vie, il va apprendre beaucoup de choses, et il va nous faire honneur. »

Vous étiez le seul fils... et le fils partait. Il n'assurait pas la relève.

Non. D'ailleurs, j'étais plutôt malingre, pas très costaud.

Vous partiez, mais c'était bien différent d'un départ pour un collège qui se serait trouvé à quelques kilomètres de la maison. Vous partiez au loin, à des centaines de kilomètres de chez vous.

Et nous partions pour dix mois!

Les jeunes d'aujourd'hui ont sûrement de la difficulté à s'imaginer que vous partiez en septembre pour ne revenir qu'en juin! Cela a dû être un choc pour vous.

Oui, un grand choc. En même temps, quand on a 13 ou 14 ans, partir de l'« île » qu'était Natashquan, c'était toute une aventure. C'était aller au-devant de soi vers l'avenir.

C'était, au sens propre, s'embarquer sur la mer, traverser le fleuve. J'avais l'impression d'arriver de l'autre côté de l'océan, en France ou en Angleterre, tellement j'avais passé de temps sur l'eau. C'était en 1942, pendant la guerre. Il y avait des sous-marins allemands dans le golfe, mon père en avait vu.

Des sous-marins « ennemis » !

Ça me rappelle une anecdote… À cinq ou six ans, j'avais appris une chanson, probablement d'un de mes oncles, qui datait de la guerre de 14 : « L'Allemand a tué mon père. Je ne prie pas comme ce tyran. Je t'apprendrai, oh ! ma prière, en bon français, non pas en allemand. » De telles chansons, très vieilles, décrivant une réalité bien loin de la nôtre, s'étaient rendues jusque chez nous, j'ignore comment. Moi, je les apprenais et je les chantais sur demande.

J'ai donc traversé le fleuve pour me retrouver au collège, à Rimouski, avec des jeunes de mon âge qui avaient eux aussi, en tout cas pour certains, vécu le même déracinement que moi.

Vous partiez pour vivre huit ans « en serre chaude », dans un univers ultrareligieux.

Oh oui ! Peu de temps après notre arrivée, nous servions trois ou quatre messes par jour.

Aviez-vous l'intention de devenir prêtre ?

Au départ, je montrais des dispositions, des talents qui
avaient fait dire au curé de Natashquan que j'avais une
vocation. Je me débrouillais bien en écriture, en lecture,
j'avais une bonne mémoire et je connaissais du succès dans
mes apprentissages à l'école. Monseigneur Labrie[8] avait
accepté de payer mes études au collège.

Parce que votre père n'aurait pas pu vous envoyer étudier ?

Non, mon père n'avait pas les moyens de me faire instruire.
Je me sentais privilégié, conscient que je devais me montrer
digne de ce privilège. Pour en être digne, devais-je devenir
prêtre ? Pas nécessairement. Un jour, j'ai dit à monseigneur
Labrie que je ne serais pas prêtre, que ce serait faire honte
à l'Église. Il m'a répondu : « Gilles, je ne t'ai jamais demandé
cela ! Mais tu as une responsabilité, mon garçon. Fais
quelque chose de ta vie ! » Voilà tout ce qu'il m'a demandé.
Monseigneur Labrie était un homme fin, avec une belle
sensibilité artistique. Je lui avais fait lire mes poèmes. Peu
de temps avant sa mort, je suis allé le voir. Je lui ai dit :
« Monseigneur, au moins, je ne vous ai pas fait honte !
— Non, non, Gilles, c'est très bien… » Et aujourd'hui
encore, je continue d'essayer de ne pas faire honte à
monseigneur Labrie.

Sur le quai du départ en septembre 1942, mon père lui aussi
m'avait dit : « En tout cas, si tu ne nous fais pas honneur,
essaie de ne pas nous faire honte ! »

---

8. Monseigneur Napoléon-Alexandre Labrie (1893-1973) : missionnaire eudiste de la
Côte-Nord et premier évêque du diocèse du Golfe Saint-Laurent, devenu le diocèse
de Baie-Comeau.

Dans le livre *Gilles Vigneault de Natashquan,* Marc Legras écrit : « Quand il intègre la chorale, au séminaire de Rimouski, il donne libre cours à son goût pour le grégorien, les cantiques, les psaumes de la messe chantée[9]. » Tout cela était déjà là, en vous, ou bien vous l'avez découvert au collège ?

> J'avais déjà chanté un peu à l'église de Natashquan. Et quand je rentrais à la maison, l'été, je chantais encore à l'église. J'aimais beaucoup la liturgie, le caractère mystérieux du latin. Je trouvais extrêmement intéressant de découvrir non seulement ce qui se disait, mais la façon dont on le disait, la façon dont les mots s'enchaînaient. C'était parfois du latin de cuisine, mais parfois aussi du latin très beau, très poétique. J'ai appris le latin au collège, suffisamment en tout cas pour pouvoir l'enseigner par la suite, mais jamais cet apprentissage de la langue n'a eu comme effet de dépoétiser les chants grégoriens, les rituels de l'Église. J'en souhaite autant aux traductions en français vernaculaire aujourd'hui…

Ah ! je sens ici chez vous un regret, une sorte de nostalgie du mystère. Parce qu'au départ, il y avait un mystère à ne pas comprendre…

> J'étais tellement attiré vers le latin qu'aujourd'hui encore, je pourrais vous chanter plusieurs hymnes : *Salve Regina, Lucis creator optime,* etc. Il y a une hymne que je trouve très belle, qu'on chante au temps de l'Avent. Pour le premier dimanche : [*chanté*]

9. Marc LEGRAS, *Gilles Vigneault de Natashquan*, Paris/Brézolles, Fayard/Chorus, 2008, p. 35.

Creator alme siderum aeterna lux credentium,
Jesu, Redemptor omnium, intende votis supplicum

Puissant Créateur des astres, lumière éternelle des croyants,
Jésus, Rédempteur de tous, écoutez nos vœux suppliants.

Qui daemonis ne fraudibus Periret orbis, impetu
Amoris actus, languidi mundi medela factus es.

Pour empêcher le monde de périr par les ruses du démon,
Vous êtes venu, poussé par l'amour, le guérir de ses maux.

Commune qui mundi nefas ut expiares, ad crucem
E Virginis sacrario intacta prodis victima.

Pour expier du monde le crime universel,
Vous sortez du sanctuaire virginal, victime sans tâche,
vers la croix.

Et à la fin…

Virtus, honor, laus, gloria, Deo Patri cum Filio,
Sancto simul Paraclito, in saeculorum saecula. Amen.

Puissance, honneur, louange et gloire, à Dieu le Père, et à son Fils,
Ainsi qu'au Saint-Esprit, dans les siècles des siècles. Amen.

C'est une mélodie très simple, très belle, et je la reprends chaque année au premier dimanche de l'Avent. Ce jour-là, je ne vais pas à l'église, mais je chante cette hymne. C'est ma façon de faire dimanche.

Vous avez plus de 80 ans et vous vous souvenez de ces chants grégoriens appris au collège ?

Oh oui ! J'ai appris beaucoup de choses au collège. J'ai aussi appris les fables de La Fontaine, par exemple, les poèmes de Baudelaire, que nous nous échangions sous le manteau parce qu'ils étaient à l'index… Ti-Georges Beaulieu nous les passait quand même. Il nous disait simplement : « Ne les montrez pas ! » Ti-Georges Beaulieu, c'est le prêtre qui organisait les concerts au séminaire de Rimouski. Vous vous rendez compte que nous étions confinés au collège pendant 10 mois ! Mais pendant ces 10 mois, nous assistions à 4 pièces de théâtre, à 4 concerts classiques et à 4 films. Ah ! cela nous faisait rêver ! À la fin de notre cours classique, nous avions vu 32 films. Mais ce n'était pas assez. Alors quand je suis arrivé à Québec, la première année, j'en ai vu 367.

Vous êtes allé au cinéma tous les jours ?

J'y suis allé presque tous les jours. Nous avions droit à un rabais parce que nous étions étudiants. De plus, l'employé nous accueillait aussi l'après-midi, parce que nous ne faisions pas de bruit et que nous l'aidions parfois à nettoyer la salle. Et nous avions parfois droit à trois ou même à quatre films ! Je me souviens qu'un hiver, au cours de ma première ou deuxième année d'université, j'avais vu 11 films en 10 jours ! J'avais besoin d'en voir, et d'en voir beaucoup !

Revenons au collège. Nous avions donc 4 films au cours des 10 mois de cours, mais nous avions aussi 4 conférences et 4 concerts. Et pas des petits concerts donnés par des amateurs! Pas du tout! Pablo Casals et Piatigorski au violoncelle, Marcel Fournier, le chœur Léonard de Port, la chanteuse colorature allemande Erna Sack, Yma Sumac, Bruna Castagna, Igor Gorine, Raoul Jobin, George Till, etc. Imaginez : Malcuzynski, Jesús Maria Sanromá au piano pendant toute une soirée! Ou Jasha Heifetz au violon!

Un soir, mon père était à Rimouski pour des cours de perfectionnement sur l'inspection du poisson. Il est venu assister au concert avec moi. Nous avions entendu Zino Francescatti, un violoniste virtuose absolument superbe! Il avait joué entre autres du Paganini. À la fin d'une pièce de ce compositeur, mon père m'avait soufflé à l'oreille, fasciné : « Un gars comme ça qui saurait jouer des *reels...* » [*rires*]

Nous avions donc, pendant ces 10 mois, l'occasion d'acquérir des éléments de culture extraordinaires.

À tout cela s'ajoutaient les dimanches, les messes du matin, les fêtes religieuses...

Oui! Les messes que nous servions et celles auxquelles nous devions assister, avant le déjeuner. Cela contribuait à créer une ambiance particulière.

Je vous ai parlé des concerts, du cinéma, des conférences, des pièces de théâtre, pour vous décrire Ti-Georges. Tout cela le résume bien. Il était un ami de monsieur Kudriansef, qui faisait venir tous ces artistes. Il avait de bons amis dans la haute société de Rimouski et s'organisait pour que nous puissions en profiter.

L'élite de Rimouski allait au concert, et les étudiants du collège aussi…

La haute bourgeoisie de Rimouski assistait au concert dans la salle, en bas, et nous étions assis dans les gradins, en haut. Mais nous avions le droit d'assister aux concerts. Entendre Pablo Casals ou Andrés Segovia jouer pendant toute une soirée, c'était vraiment incroyable ! Je me souviens de tout cela aujourd'hui, parce que ça fait longtemps et que je m'en suis éloigné. J'apprécie la chance que j'ai eue à l'époque.

En étiez-vous conscient à ce moment-là ?

Oui, j'avais conscience d'être terriblement privilégié. Certains des gars dormaient, mais pas dans ma classe. Nous écoutions la conférence, le concert. C'est vrai que c'était parfois long… et nous nous étions levés à 6 heures le matin ! Alors certains soirs, arrivés à 21 heures, certains cognaient des clous, de gros clous ! Mais pas moi. Je ne me souviens pas de m'être endormi au cours de ces soirées. Tout cela m'avait terriblement manqué.

Mais à Natashquan, vous ne connaissiez pas cet univers-là?

Un peu, entre autres par les journaux, par les bandes dessinées. La première fois que je suis arrivé à Rimouski, j'ai
pris un taxi pour me rendre au collège. Le chauffeur de taxi
m'a demandé : « Tu vas où? » J'ai répondu : « Au séminaire. » Grand prince, je me suis laissé conduire. Et arrivé
à destination, quand est venu le temps de descendre…
je ne savais pas comment ouvrir la portière! Je n'étais
encore jamais monté dans une voiture. Je ne voulais vraiment pas faire de gaffe. Mais j'avais vu, dans les bandes
dessinées, que les princes attendaient que leur chauffeur
vienne ouvrir la portière. Alors, j'ai attendu. Le chauffeur a
fini par s'impatienter : « Qu'est-ce que tu attends? » J'ai
tout bonnement répondu, avec une tenue princière :
« J'attends qu'on m'ouvre la portière! » Le chauffeur est
donc descendu, a probablement poussé quelques jurons en
faisant le tour de la voiture et m'a ouvert la portière. Je suis
descendu et, comme je l'avais lu, j'ai dit au chauffeur :
« Merci, mon brave! » Ti-Georges a beaucoup ri quand je
lui ai raconté cela par la suite.

Bon, je n'étais jamais monté dans une voiture, mais
j'arrivais avec un bagage incroyable, même si certaines
expériences m'étaient encore inconnues. Par exemple,
je n'avais jamais pris le train. Le jour où j'ai eu à faire
une composition intitulée « Mon premier voyage en train »,
j'ai demandé à deux de mes amis de m'expliquer comment
ça se passait dans les trains. Ils ont été honnêtes et m'ont
bien renseigné, si bien que j'ai eu la deuxième meilleure

note! Et quand nous avons eu un autre travail sur « Mon premier voyage en avion », là, c'est moi qui ai aidé les gars qui n'étaient jamais montés à bord d'un avion!

Certains me disaient : « Tu n'avais jamais vu l'électricité avant d'arriver ici? » Ceux-là venaient de la ville! Alors je leur répondais : « Et toi, tu n'as jamais pris une anguille par les ouïes? Aimerais-tu essayer? » [*rires*] Chacun arrivait avec ses propres expériences!

Vous m'avez parlé de ces grands artistes que vous avez vus à l'œuvre, des grandes cérémonies religieuses, etc. Il y en avait aussi dans votre petite église de Natashquan.

Oui, mais à Rimouski, la chorale du collège allait chanter à la cathédrale. C'était évidemment plus solennel, plus grandiose.

Vous aimiez ces grandes célébrations?

Beaucoup! La cérémonie, le rituel, tout cela m'a toujours fasciné. À Natashquan, la messe du dimanche matin à l'église, c'était toute une cérémonie! Pour moi, c'était le théâtre. C'était l'opéra. C'était la musique. C'était les rituels, la solennité. C'était l'événement auquel nous avions accès. Nous n'avions accès ni au théâtre, ni à l'opéra, ni à la musique. Rien d'autre que la messe ne nous était accessible, mais c'était déjà grandiose. Et nous savions l'apprécier. Le dimanche tout entier était marqué par la cérémonie. Nous nous conduisions autrement le dimanche. Et quand nous faisions une bêtise, ma mère s'exclamait : « Faire ça un dimanche ! » Cela voulait dire que, à la rigueur, ce n'était pas bien de faire ça un jour de semaine, mais un dimanche, c'était bien pire ! Un peu comme voler dans l'église. Voler, déjà, ce n'est pas beau. Mais voler dans l'église, c'est un sacrilège ! Nous étions tous marqués par cela. La messe, c'était plus que l'ordinaire.

L'abbé Raoul Roy, le directeur de la chorale à Rimouski, m'avait dit un jour, après m'avoir entendu chanter mes chansons : « Gilles, fais attention ! C'est bien, ce que tu fais. Mais fais attention ! C'est vous, les prêtres de demain. » J'étais resté bouche plus que bée. Ses paroles m'avaient grandement responsabilisé. Il me mettait sur les épaules un manteau que je n'avais pas prévu porter. Je prenais conscience que je ne pouvais pas dire n'importe quoi !

N'avait-il pas raison ?

J'ignore dans quelle mesure il avait raison. C'était un homme admirable, mais il était capable de beaucoup exagérer. Il était beau comme un dieu et avait une voix superbe. Il aurait facilement pu faire carrière dans l'opéra ou la chanson. Il était prêtre, et enseignait le chant et le dessin. C'était un homme très, très humble. Un artiste, un poète. J'ai toujours retenu cette phrase qu'il m'avait dite : « Vous êtes les prêtres de demain. » Je suis donc responsable du cérémonial. Je suis responsable de la cérémonie.

Ces années passées au séminaire de Rimouski ont donc eu une importance fondamentale pour ce que vous êtes devenu comme artiste.

Absolument ! Et on peut dire la même chose de mes années à Natashquan.

Vous avez dit : « C'est un chemin qui se poursuit, je ne renie rien. J'avance. »

Exactement ! La terre est productrice, mais il faut la labourer, n'est-ce pas ? Et après, on doit la semer. Ensuite, savoir récolter ! Et quand on a récolté un peu, il faut savoir ressemer et apprendre des saisons. Alors, la terre fondamentale pour moi, c'est Natashquan. Et dans ce terreau-là, à Rimouski, on faisait des semailles. Plus tard, à l'université, on a continué de secouer la terre, de la brasser, de la faire produire. Après, il faut attendre. Un jour, on récolte. Puis on est parfois déçu, alors il faut de nouveau brasser la terre et ressemer.

Vous avez grandi, tout comme votre père et votre grand-père, dans une société, une religion où régnait une sorte d'unanimité. Il y avait des liens entre les générations. Puis il y a eu rupture. Mais le poète, l'écrivain, le chanteur que vous êtes est issu de cet univers d'unanimité. Les jeunes générations, aujourd'hui, ont-elles accès à cet univers d'unanimité ? N'ont-elles pas vécu de remise en question en remise en question ?

Même si c'était uniquement pour leur apprendre ce qu'il y a eu avant eux, il vaudrait la peine de faire ce que je fais.

C'est peut-être tout ce qu'il restera de moi, de ce que je suis, de ce que j'aurai écrit, de ce que j'aurai dit. C'est l'apprentissage de leur passé. Parce que, malgré les soi-disant ruptures, les jeunes viennent quand même de nous, ils sont issus, eux aussi, de ce passé-là. Il est extrêmement inquiétant de voir qu'on essaie aujourd'hui de niveler l'histoire pour éviter de montrer qu'il y a eu des chicanes. C'est d'une maladresse extraordinaire! Hérodote et quelques autres pourraient faire la critique de ce qui se vit aujourd'hui dans les écoles, et ils seraient compétents. À mon avis, nous devrions tous être conscients de nos racines!

Des propos de ce genre me font invariablement penser à un petit peuplier qui a grandi très vite. Puis un beau jour d'automne, il fait très beau, le soleil brille, des branches bougent dans le vent. Tout à coup, par terre, une racine se retrouve dénudée. Une petite branche, du haut des airs, demande à la racine : « Qui êtes-vous? » La racine répond : « Je suis la racine d'un arbre. — Ah oui! Lequel? — Le tien! » Et la petite feuille dans le vent s'exclame : « Comme ça doit être long, de rester toujours sous la terre, inconnue! Nous, nous sommes dans la lumière, dans le vent! » La racine finit par répliquer : « C'est bien, profites-en! On reparlera de tout cela à l'automne! »

Y a-t-il eu trahison envers les jeunes d'aujourd'hui? Vous avez déjà remis en question les nombreuses réformes en matière d'éducation… Y a-t-il eu trahison? Parce que tout ce à quoi vous avez eu accès, toute cette tradition et toute cette culture

semblent désormais inaccessibles, coupés du monde des jeunes d'aujourd'hui.

Oui, mais attention! Il ne faut pas oublier que sur le plan démocratique, le système était pourri! Nous étions 5 000 dans toute la province à avoir accès à tout cela.

En effet, environ 7 % des jeunes qui auraient eu le potentiel d'aller au collège ont eu la possibilité d'y aller. Vous, vous avez eu la chance d'y aller parce que quelqu'un a décidé de payer vos études.

Il en restait 93 % qui n'ont pas pu y aller.

Aurions-nous pu offrir aux 93 % restants ce qu'on vous a offert à vous?

Non. Aujourd'hui, cependant, nous pourrions. Nous devrions pouvoir, mais nous ne le faisons pas!

Pourquoi?

Nous sommes autour d'une table ronde. Supposons qu'il s'agit d'une pizza, d'environ 30 centimètres de diamètre. Il y a là de quoi nourrir, disons, quatre personnes, à condition d'avoir aussi un peu de salade et quelques boissons. Mais si on divise cette pizza en cinquante, certains n'auront même pas de pepperoni! Si on veut diviser une connaissance donnée, il faut avoir les couteaux pour la diviser et les assiettes pour la partager. À l'époque, il n'y avait pas suffisamment de professeurs. Les professeurs qui étaient là étaient sous-payés, supposément parce qu'enseigner était leur vocation. C'était le cas de plusieurs, sinon de tous. Des vies considérables ont été sacrifiées. Je me souviens par exemple de ce professeur de chimie, qui m'avait fait passer de justesse à mon dernier examen… Il était allé étudier en Europe et était revenu avec un doctorat en lettres de La Sorbonne. Eh bien, on lui avait demandé d'enseigner la chimie, sous prétexte de lui apprendre l'humilité. Quelle bêtise ! Il y en a eu, de telles maladresses. Cet homme est devenu un excellent professeur de chimie, par la force des choses, parce qu'il était intelligent, mais cela n'était pas sa vocation. Une fois entré dans les ordres, on devait pouvoir tout faire ! Mais ça n'est pas vrai. De nombreuses vies ont été sacrifiées et bradées au comptoir de l'obéissance. C'est l'une des choses qui m'ont scandalisé.

Je reviens à la jeunesse d'aujourd'hui. A-t-elle perdu beaucoup, du fait de ne pas avoir accès à tout cet univers ? Il y a aujourd'hui beaucoup de connaissances particulières…

Attention ! Il y a beaucoup d'information, mais peu de formation. Le préfixe « in » du mot information est un privatif. Il y a un manque de formation, celle-ci étant enterrée sous l'anecdote, sous l'information multipliée à l'infini. Cela peut déformer aussi…

Vous avez dit à Stéphan Bureau, à l'émission *Contact* : « Ce que l'on jette au grenier, ce sont les bases sur lesquelles la société peut et doit écrire ses épopées. » Mais encore faut-il qu'elle ait accès au grenier ?

Il faudrait qu'elle ait accès au grenier. Et que les jeunes d'aujourd'hui ne ressentent pas le besoin de faire appel au petit chaperon rouge et à Cendrillon pour avoir des histoires !

Pourquoi faudrait-il remplacer les contes du *Petit Chaperon rouge* et de *Cendrillon* ? Et on les remplacerait par quoi ? Par vos propres contes ?

Non. Il ne faut pas remplacer… Il faut ajouter. Mais sans avoir peur d'inventer le *Petit Poucet* d'aujourd'hui.

Peut-il y avoir un peu d'espoir ?

Toujours ! Si nous perdons espoir, pourquoi l'autre, quel qu'il soit, aurait-il quelque espoir en nous ? Désespérer, c'est abandonner. C'est abdiquer. C'est se résigner à ne plus espérer. Et le désespoir aboutit souvent à l'annulation de la vie, à la suppression de soi. Moi, je suis pour qu'on invente une petite lumière au bout du tunnel, même si on ne la voit pas distinctement. Mais à force d'en parler, on finit par avoir un doute. Ce doute émet une faible lueur. Un rayonnement fossile. Et puis un beau jour, ça s'allume. Peut-être pas pour soi-même, mais pour quelqu'un d'autre. Et quelqu'un d'autre dit : « Il y a une lumière ! » Tout cela, parce qu'on y a cru et qu'on l'a inventée soi-même.

Et ce, tant dans la dimension historique que dans la dimension spirituelle, religieuse ?

À mon avis, les deux en même temps. Ces deux dimensions s'entendent assez bien. En fait, l'imagination n'est que la mémoire qui joue avec ses blocs. Elle n'est pas du tout « la folle du logis », comme on l'a dit parfois. L'imagination est la fée du logis. Elle est l'inventrice, la passionnée, la découvreuse du logis. Et elle est aussi la gardienne, plus qu'on ne le pense. La mémoire, elle, est plutôt la vestale. Et l'imagination est ce qui donne envie de faire quelque chose avec la mémoire. « Si on allait jouer dans le grenier, on sortirait les vieux habits de grand-papa et les robes de grand-maman et on ferait du théâtre, on s'habillerait autrement. On se ferait croire qu'on est le roi, la reine… » Voilà ce que l'imagination propose à la mémoire. Et la mémoire prête ses habits : « D'accord, je vous laisse faire. Après tout, ils sont là pour que vous vous amusiez ! »

En fait, ça va plus loin que l'amusement…

Que voulez-vous dire ?

Je veux dire que, sur le coup, c'est l'amusement qui semble primer. Mais à bien y penser, les enfants cherchent et trouvent des liens avec le temps et la vie « d'avant eux »…

Ma mère disait souvent : « Ce que je veux dire vaut mieux que ce que je dis ! » [rires]

Seriez-vous en pays de mission, avec dans vos bagages des pans de tradition à redonner au monde?

Nous sommes tous en pays de mission. Ce n'est pas un choix qui nous serait proposé. Dès qu'on est un personnage public, on est ambassadeur. D'abord de soi, ensuite de son milieu, puis de sa province... puisque nous n'avons pas encore de pays.

Le pari de croire

Dans ses *Pensées* (1670), Blaise Pascal a répondu à son interrogation sur l'existence de Dieu. Sa réponse est un pari !

> *Dieu est ou il n'est pas ; mais de quel côté pencherons-nous ? La raison ne peut rien y déterminer… Oui, mais il faut parier… Pesons le gain et la perte en prenant croix que Dieu est. Estimons ces deux cas : si vous gagnez vous gagnez tout, et si vous perdez vous ne perdez rien : gagez donc qu'il est sans hésiter*[10].

Pascal, qui a inventé la machine à calculer, qui a tracé la voie au calcul des probabilités, a donc évalué l'avantage de croire en Dieu. La réflexion de Blaise Pascal sur cette question ne se limite pas à ces quelques mots, il faut relire ses *Pensées* pour s'en rendre compte.

Gilles Vigneault aime le jeu et il fait le pari de croire à son tour. Mais chez lui aussi, il faut relire ses poèmes, écouter ses chansons, consulter ses almanachs pour comprendre le sens de son pari.

---

10. Blaise PASCAL, *Pensées*, texte établi par Louis Lafuma, Éditions du Seuil, 1962 extraits du fragment 418, p. 188.

Nous avons parlé de la foi de votre enfance, de cette foi naïve qui vous a été transmise par vos parents. La société et l'Église ont évolué depuis cette époque. Dans son livre *Une foi partagée,* Fernand Dumont écrit : « J'aurai vu s'effondrer une Église triomphante. J'aurai participé au procès de la chrétienté de jadis, connu dans l'angoisse et sans m'y refuser les nécessaires révisions des valeurs[11]. » Peut-on croire qu'en combattant le système, cette religion triomphante, on a tout rejeté en même temps ?

Le petit Jésus avec l'eau du bain.

Votre petit Jésus du 25 décembre que vous déposez encore chaque année dans la crèche ?

Je sais maintenant, grâce aux études qui ont été réalisées, que Jésus est peut-être né le 4 décembre ou le 4 janvier…

Dans une berceuse, vous le faites même naître dans une tribu iroquoise.

Oui ! « Un Jésus tout comme toi est né chez les Iroquois. C'est un grand mystère[12]. » Je suis d'accord pour qu'il y ait du mystère quelque part. Pas seulement quelque part, parce que le mystère est partout. On essaie et on prétend parfois avoir élucidé les mystères, mais au fur et à mesure qu'on en élucide un, ou qu'on croit l'avoir élucidé, eh bien, il s'en présente un autre, un peu plus complexe ! La science et la

11. Fernant DUMONT, *Une foi partagée* (coll. « l'essentiel »), Saint-Laurent, Bellarmin, 1996, p.11.
12. « Petite berceuse du début de la colonie », *Les gens de mon pays,* p. 296.

pensée philosophique doivent affronter une suite infinie de complexifications.

La pensée philosophique dérange souvent la science. Et le contraire est parfois vrai. Quand, par exemple, des savants affirment que leur athéisme, ce n'est pas bien méchant! Eux-mêmes croient à quelque chose, mais ils n'appellent pas cela « Dieu ». Dans la volonté presque agressive de certains d'affirmer que Dieu n'existe pas, sous quelque forme que ce soit, on a parfois l'impression de sentir poindre l'ombre d'une jalousie ou d'une incertitude : « Et si c'était…? »

Serions-nous jaloux de ceux qui nous proposent leurs habits du dimanche, du samedi ou du vendredi… dans une société où nous avons peut-être jeté le bébé avec l'eau du bain? Nous semblons en effet avoir de la difficulté à accepter que les autres s'expriment, s'endimanchent pour témoigner de leur foi.

Il arrive souvent que des fois différentes s'affrontent. À mon sens, toutefois, ce sont là moins les pensées profondes de l'être humain que des intérêts triviaux. Le monde occidental aurait-il par exemple autant de difficultés avec l'islam si les intérêts commerciaux n'étaient pas aussi divergents? Si l'Occident n'avait pas aussi honteusement exploité l'Orient? Allah ressemblerait beaucoup au bon Dieu. Je crois que cela, hélas, se passe en surface, et que la surface contamine tout. En surface, c'est le commerce, c'est le pouvoir. Le pouvoir!

Le pouvoir à l'intérieur des institutions, à l'intérieur des systèmes?

Eh oui! Le pouvoir s'exerce partout. Le pouvoir qu'un confesseur exerçait sur ses ouailles était inouï et invraisemblable. C'était même obscène. Qu'un humain ait un pouvoir d'esclavagiste sur un autre est aussi obscène. Prenez le pouvoir d'un ayatollah. Le pouvoir d'un sorcier. Peu importe où, dans n'importe quelle religion, dans n'importe quelle institution, le pouvoir s'exerce partout.

Et pourtant, il y a encore de ce pouvoir dans la religion qui un jour a été dominante chez nous. Il reste encore de ce pouvoir qui conteste par exemple la contraception, l'avortement, qui refuse le mariage des prêtres et l'ordination des femmes. Votre foi, Gilles Vigneault, est-elle encore intégrée dans une dimension religieuse, dans un dogme, dans une Église?

Je n'aime pas le mot « intégré »... Trop près du mot : « intégrisme »! J'avoue que j'ai été assez près de me convertir, à de nombreuses reprises. Pourvu que j'aie le droit de croire! Mais j'ai investi trop de temps dans une religion pour recommencer ailleurs. Là où le POUVOIR mène toujours les humains à leurs propres excès. Je pense, comme bien des catholiques, que le célibat des prêtres n'est pas une bonne chose et que l'ordination des femmes en serait une excellente... et que... Mais l'homme, investi de pouvoir, répugne à le partager, surtout avec la femme qui lui a toujours fait PEUR!

Vous vous seriez converti à quoi ?

En fait, j'aurais pu naître anglican. J'aurais pu naître maho-
métan, bouddhiste. Je suis né catholique. Cela est fortuit.
Et je ne serais pas plus malheureux de croire qu'« Allah est
grand » que de croire que Dieu est tout-puissant. Allah, le
Tout-Puissant. Dieu, le Tout-Puissant. Pour moi, il s'agit du
même Dieu. Si Dieu existe, je serais étonné qu'il y en ait
deux ! Mais il se pourrait bien que Son Éternité ne trouve
pas important de choisir entre les noms dont on l'affuble !

Les Grecs croyaient qu'il y en avait plusieurs…

Oui, les Grecs avaient résolu ce problème en « dédimen-
sionnant » Dieu et en le mettant à la mesure de l'être
humain.

Ils parlaient aux dieux presque d'égal à égal.

Ils avaient en quelque sorte résolu le problème et avaient
mis leurs dieux à leur service. Ils ne s'étaient pas nécessairement mis au service des dieux. Il y avait là-dedans un côté
pragmatique qui est extrêmement intéressant et, je dirais,
tout bêtement débrouillard.

OÙ EST DIEU ?

Vous vous souvenez de la question de notre *Petit Catéchisme* : « Où est Dieu ? » Vous n'avez sûrement pas oublié la réponse…

Je m'en souviens très bien ! Nous devions la savoir par cœur. « Dieu est partout. » Petit garçon, j'avais demandé au curé : « Est-ce que Dieu est dans mon caca ? » J'avoue que ma question avait quelque peu embêté le curé… Il m'avait répondu : « Hé, petit malpropre ! Sois poli ! » Mais moi, j'étais resté sans réponse… J'avais posé une question tout enfantine et naïve. Si Dieu était partout et qu'il était infini, il fallait bien qu'il soit *vraiment* partout !

Un autre jour, la foi m'a poussé à risquer la mort. En effet, j'étais persuadé que je pouvais tomber raide mort si je touchais aux objets sacrés, calices, ciboires, etc. C'est ce qu'on nous avait dit. On nous interdisait d'y toucher. Alors, je me demandais bien pourquoi le prêtre, qui était lui aussi un homme, consacré par Dieu, si on veut, pouvait y toucher, lui, et pas moi ! Je devais avoir sept ou huit ans. Seul dans la sacristie, je me suis dit que je tomberais peut-être raide mort. Mes parents auraient certainement beaucoup de peine… Mais au fond de moi, j'étais convaincu que, s'il existait, tel que l'affirmait le prêtre, s'il était infiniment bon, le bon Dieu ne tuerait pas un petit garçon qui voulait s'approcher de lui. J'ai donc touché aux objets du culte… et je suis ici aujourd'hui pour en parler. Je tremble encore en vous le racontant. J'avais vraiment eu peur de Dieu ! J'ai risqué la mort au nom de ma foi ! Ç'a l'air naïf à dire, mais c'est la vérité.

En préparant cette rencontre, j'ai consulté divers auteurs d'écrits sur la spiritualité, et tous parlent d'une recherche de Dieu à l'intérieur d'eux-mêmes, de la conscience d'une rencontre. Par exemple, Pierre Vadeboncœur, que vous avez publié, affirme :

> Je reste comme en rapport avec un être personnel que je ne nomme pourtant pas, mais qui habite je ne sais comment ma conscience [...]. J'ai le sentiment de n'être pas seul.
>
> Mon sentiment désigne son objet, en tout point semblable à celui du pur croyant, sauf que cet objet n'a ni nom ni visage, et j'ai l'impression que c'est pourtant le même. J'ai une foi aveugle.
>
> L'étonnant, c'est que cet objet, en quelque sorte soustrait à toute confession dogmatique précise, s'impose à moi d'une manière aussi entière que s'il avait un nom distinct comme dans la croyance[13].

Cela peut se comprendre comme une foi en dehors de toute Église, de toute confession dogmatique. Pour reprendre l'expression de Vadeboncœur, comme « une foi solitaire ».

Ce n'est pas facile, mais c'est bien dit !

Sentez-vous cette présence intérieure ?

Je sens ma conscience, un peu comme s'il y avait en moi une personne qui a deux mots à dire... et qui les dit de temps en temps. Ma foi ressemble beaucoup à la foi des

13. Pierre VADEBONCŒUR, *La clef de voûte*, Montréal, Bellarmin, 2008, p. 20.

poètes. Je pense à Alfred de Musset qui, vers la fin de sa vie, avait dit :

> *J'ai perdu ma force et ma vie,*
> *Et mes amis et ma gaieté ;*
> *J'ai perdu jusqu'à la fierté*
> *Qui faisait croire à mon génie.*
>
> *Quand j'ai connu la vérité,*
> *j'ai cru que c'était une amie ;*
> *Quand je l'ai comprise et sentie,*
> *J'en étais déjà dégoûté.*
>
> *Et pourtant elle est éternelle,*
> *Et ceux qui se sont passés d'elle*
> *Ici-bas ont tout ignoré.*
>
> *Dieu parle, il faut qu'on lui réponde.*
> *Le seul bien qui me reste au monde*
> *Est d'avoir quelques fois pleuré* [14].

[*silence*] L'homme qui dit cela croit en Dieu. Il croit au Dieu qui l'a saisi, lui.

Verlaine a composé un recueil de poèmes intitulé *À ma mère Marie*. Je pense à Alfred de Vigny et à combien d'autres qui se sont inventé Dieu. C'est ce que j'appelle une foi de poète. Et une foi de poète, c'est très près d'une foi de charbonnier.

---

14. Alfred DE MUSSET, « Tristesse », 1830.

D'ailleurs, Vadeboncœur fait une distinction entre la connaissance, le monde ordinaire de l'intelligence, et l'évocation symbolique, qui est le monde de la foi. Il dit : « Il n'y a pas de passerelle entre les deux. »

Non, il n'y a pas beaucoup de passerelles entre le visible et l'invisible. Et s'il y en a, elles sont subtiles, rares, et on ne les emprunte pas. On n'est pas souvent tenté de les emprunter non plus. Nous sommes saisis d'une sorte de vertige au moment d'évoquer, même à l'intérieur de nous-mêmes, *surtout* à l'intérieur, quelque chose de tellement plus grand, de tellement gigantesque, que nous nous sentons, comme Pascal devant l'infini de l'Univers, effrayés.

Je suis abonné à des revues d'astronomie. Même si je ne suis pas très calé dans le domaine, c'est un sujet qui me passionne. Il y a, dans la contemplation de l'infini de l'Univers, un vertige qui nous saisit de l'intérieur et qui fait qu'on hésite à se dire que Dieu, ce n'est peut-être que l'espace. Pour être poli pour Einstein, je dirais « l'espace-temps ». Dieu, ce n'est peut-être que cet infini-là. Je regarde les équations mathématiques complexes, que je ne comprends pas, et je vois toujours le « plus ou moins l'infini », le huit qui a l'air de dormir. Les grands penseurs, mathématiciens, astrophysiciens, depuis Galilée, Copernic, l'abbé Lemaître et les autres, ont toujours besoin de cette notion d'infini. Ils ne savent pas s'en passer, et personne n'arrive à le définir autrement que par « plus ou moins ». Cela donne à réfléchir.

Vous employez le mot « contemplation » pour parler de l'observation de l'Univers. Souvent, ce mot comporte une dimension spirituelle.

Dans ce mot, il y a « temple », un lieu où garder silence ! Quand on est en contemplation, on n'est pas bavard comme je le suis en ce moment…

LE SACRÉ

À Marie-France Bazzo qui vous demandait ce qu'il y avait de caché en vous, vous avez répondu : « Le sacré, la prière, la foi. »

Ma foi n'est pas cachée de façon intentionnelle. Je n'ai pas l'intention de me cacher de croire. Pas plus que j'ai l'intention de me cacher de croître. Mais on n'en parle pas tout le temps.

Vous avez dit en effet que *croire* et *croître* se conjuguent de la même façon.

Selon un mode, au moins, en français. Pour moi, l'un ne va pas sans l'autre. On ne peut pas croître tout seul et pour les autres sans croire en soi, sans croire dans les autres. Et croire en plus, peut-être. Ça dépend des gens. Ça dépend des goûts, de l'esprit. Comme auprès d'une source on a le goût de boire. Il arrive qu'on se trouve devant une source et que cela donne soif. Se sentir près d'une source inconnue dont on ne sait quelle eau elle nous donnera… Et dont on ne sait ce que cette eau nous donnera. Cela est suffisant pour se mettre en frais, s'habiller comme il le faut, comme pour une cérémonie.

J'ai toujours été extrêmement exigeant sur le costume de scène. Ce n'est pas pour l'apparat ou pour la beauté, mais pour la propreté. Celle du dedans, d'abord. Se placer, comme on le disait si facilement et si impérieusement, en état de grâce. J'ai retenu cela : quand on allait à l'église, on s'habillait autrement. Le rituel, toujours, qui structure le temps de la vie.

En habits du dimanche.

On s'endimanchait. Moi, j'aime bien m'endimancher, j'aime que mes musiciens s'endimanchent. Même les techniciens le font un peu. Et ce, pour accomplir les rituels de la « cérémonie » qui nous occupe. C'est en soi une préparation à être disponible au sacré qui est en nous, au sacré qui est dans les autres qui nous écoutent, et au sacré qui est au-dessus, en dessous et autour de nous, qui est notre circonférence, la plupart du temps muette, souvent secrète, mais prête à sécréter de quoi vivre.

Dans notre société, on trouve souvent difficile que les autres s'endimanchent. Je pense ici encore à tous les débats entourant les accommodements raisonnables… Serait-ce parce qu'on sait de moins en moins s'endimancher ?

C'est, je crois, parce que nous avons de moins en moins de balises. Nous avons cru nous libérer de beaucoup de chaînes… qui persistent toujours. Nous avons cru nous en libérer en mettant mille portes là où il n'y en avait qu'une, qui était fermée à clé. Nous avons cru, surtout, jeter les enfants dans la liberté… sans les avertir du fait que, nu dans le désert, on n'est pas très fort! Même habillé, en plein désert, on n'est pas fort. Et habillé avec dans ses poches de quoi acheter un gobelet, ou avec un gobelet d'or dans ses poches vides, on n'a quand même rien pour étancher sa soif.

Et nos enfants sont nus… on les retrouve à 16 ou à 20 ans, avec en eux le sentiment que tout est illimité. Ah! sauf la longueur de la vie. On les met très tôt devant l'infini, l'infini approximatif et illusoire de leurs possibilités… alors qu'ils sont toujours un homme ou une femme, avec, pour chacun, ses merveilles et ses misères.

Dans le désert, un gobelet d'or n'étanche pas la soif. Et le silence du désert a beaucoup plus à nous apprendre que la parole elle-même.

Faites-vous un lien entre le sacré et la poésie?

Toujours. À mon avis, la poésie est le sacré du langage, le creuset des alchimistes, l'athanor de la parole.

J'ai vécu hier une expérience émouvante. Trois jeunes filles de l'Abitibi ont fondé un groupe qu'elles appellent « Les rayons de soleil ». Dans le cadre d'un concours auquel elles veulent participer, elles devaient étudier un auteur. Elles m'ont choisi. Elles m'ont donc écrit pour me poser des questions : « Trouvez-vous que la langue française est importante ? Trouvez-vous que la poésie est importante dans la langue française ? Trouvez-vous que la poésie a un lien étroit avec la conservation de notre langue ? Etc. » C'est très beau ! Au fond, c'est presque toujours la même question… Hier, j'ai saisi ma plume et j'ai pris le temps de leur répondre. Finalement, ce qu'elles me demandaient sans le formuler vraiment, c'est : est-ce que c'est important, la poésie ? Est-ce qu'elle est importante, notre langue ? Je leur ai dit, entre autres, à quel point il est grave, le poids de la poésie dans l'utilisation que nous faisons de la langue. Nous utilisons la langue pour le trivial, l'ordinaire, le quotidien ; mais à un moment donné, nous l'utilisons aussi pour l'intérieur, pour le support de la pensée. La poésie, c'est le sommet de l'utilisation de la langue pour l'intérieur. La poésie, c'est le milieu du temple. Au milieu du temple se trouve la relique, ou la dépouille, ou le sacré. La poésie, c'est donc du sacré.

Gilles Vigneault, poète, vous savez bien qu'il y a de moins en moins de sacré dans notre monde. On peut même affirmer qu'on a assisté à la désacralisation de toute la société !

De tout ce qu'on a pu désacraliser, effectivement !

On a donc éloigné la poésie de la vie des gens ?

Oui, on éloigne beaucoup la poésie des gens, parce que la poésie est inquiétante pour ceux qui dirigent. Parce que la poésie est anarchique. La poésie a ses règles propres, que seuls les poètes connaissent. De plus, les poètes eux-mêmes s'inventent des règles. Alors, un jour, on a des Victor Hugo, des Charles Cros, on a des gens qui « distorsionnent » la poésie et font des vers de treize pieds, avec des vers de seize, et qui font des vers libres, parce qu'ils ont déjà fait du vers enchaîné. Des Tardieux, des René Guy Cadou, des Miron, des Brassard, des Morency... Des tas de poètes ne suivent plus les règles de Musset, Vigny, Lamartine et les autres. Et c'est bien ! Cela prouve que les poètes établissent leur propre domaine, balisent leur terrain et creusent à la profondeur qu'ils veulent sur leur propre terrain. Les poètes sont un peu comme les philosophes, des gens qui placent des clôtures en bois sur la mer pour délimiter leur champ de pêche. Les courants font en sorte que les clôtures n'existent pas. Mais en ayant posé les piquets et les lices sur la mer, ils ont établi dans leur tête leur champ de pêche.

Quelle est la part de sacré dans votre vie ?

La part de sacré me fait agir d'une certaine manière et m'empêche d'agir d'une certaine autre.

Dans votre vie d'artiste ?

Dans ma vie tout court. Il y a des choses très anecdotiques, très ordinaires, naïves, qui font par exemple que, le soir où je vais assister au spectacle d'un autre artiste, je ne signe pas d'autographe. Pour moi, cela relève du sacré de l'autre.

**Peut-on accorder autant d'importance au sacré dans la vie…
dans un monde aussi turbulent que le nôtre?**

Oui, il reste encore du sacré. Particulièrement chez la femme. La femme a, par définition, quelque chose de sacré en elle : son sexe et son utérus, capable de porter des enfants. Quand on parle de viol dans les journaux, il s'agit d'une attaque directe au sacré. C'est pourtant très concret, mais cela relève du sacré. Ne pas faire n'importe quoi dans une église relève aussi du sacré. Ne pas bousculer ou déranger un itinérant qui dort dans la rue relève du sacré. Lui donner quelque chose sans me demander ce qu'il fera de mon don, si minime soit-il, relève aussi du sacré. Quand je vois par exemple un musicien dans la rue, je vais toujours déposer quelque chose dans son étui de guitare ou dans sa sébile. Ce sont pour moi des gestes quotidiens qui relèvent du rituel entourant le sacré. Je ne songerais pas non plus à visiter une église sans y allumer un cierge.

Le cierge allumé, c'est une trace de vous, de votre passage?

Oui. C'est laisser une trace de ce qu'on considère comme du sacré en soi d'abord. Ha! Ridiculiser quelqu'un qui prie, quelle que soit sa position, n'est pas acceptable! Et je suis scandalisé par ces gens qui boivent de la bière dans les calices et les ciboires qu'ils ont achetés à vil prix… Ils l'ignorent, mais ils se scandalisent eux-mêmes!

Mépriser le sacré de l'autre est très grave. Ce que l'autre considère comme sacré, on n'a pas le droit de s'y opposer. Que faisons-nous chez les talibans? L'humanité a le droit, selon son climat, sa culture ou son inculture, selon ce qui peut arriver dans la modernité, d'évoluer à son propre rythme. Et tout le monde est bien conscient aujourd'hui que les tentatives de voler au secours des petites filles pour qu'elles aillent à l'école, les élans de compassion à leur endroit… ne visent qu'à aller chercher du pétrole partout où il y en a sur la terre! Et ça, c'est un scandale.

En d'autres mots, nous n'intervenons pas dans tous les pays où des jeunes filles risquent d'être violées ou mariées trop tôt, de force…

N'est-ce pas! Et admettons que de telles injustices sont présentes aussi chez nous. L'humanité est présente aussi dans nos pays! Il ne faut pas l'oublier. Mais je ne crois pas avoir le droit d'imposer ma conception du sacré à l'autre, surtout si je me propose d'aller vivre sur ses terres.

Revenons au sacré de l'autre. Si je pousse ma réflexion sur ce sujet, je dirai que je ne crois pas aux tentatives de convertir les gens d'une religion à une autre. L'idée que nous sommes tous des infidèles à mettre à mort… cela ne respecte pas le sacré, le sacré de l'autre. On peut informer les gens, mais pas les convertir. La conversion relève de la personne elle-même. Les gens peuvent eux-mêmes décider de se convertir, de changer leur orientation vers le sacré, vers l'Invisible. Cette décision leur revient.

Voilà pourquoi j'ai beaucoup de mal à imposer une religion aux enfants. Dès que les enfants sont en âge de raisonner, de juger, cela leur appartient. Je ne vais pas, à coups de règles ou à coups de règlements, leur imposer ma foi ou la foi d'un autre.

Et pourtant, enfant, vous avez vécu dans un univers où la religion était imposée.

L'univers me l'imposait.

Il y avait alors unanimité, ou presque.

Pas « presque ». Il y avait unanimité.

Dans cet univers, on vous a imposé une façon de penser, une religion…

Absolument! Et aujourd'hui, quand mes enfants viennent à la maison, je ne leur impose rien, mais moi, devant eux, je vis… comme je vis.

Et votre petit Jésus que vous tenez à mettre dans la crèche la nuit de Noël…

Ah oui! mais je ne le leur impose pas. Je fais cela chez moi, je suis chez moi. Ils me regardent, me voient, me jugent. Cela leur appartient. D'ailleurs, je dois dire qu'ils me jugent avec beaucoup d'indulgence, et j'en suis très heureux. S'ils souhaitent m'imiter, me ressembler ou retenir un peu de ma façon de vivre, cela relève de leur libre arbitre, pas du mien! Je n'essaie pas de faire semblant d'être ce qu'ils sont. Je suis moi-même devant eux.

Faut-il aller très loin de Dieu pour le redécouvrir?

C'est arrivé à certains. À saint Augustin, par exemple. C'était un homme très brillant, qui est allé très loin de Dieu pour le trouver. Il y a des êtres, comme lui, qui ont besoin d'aller au fond d'eux-mêmes, au fond de l'humanité, pour se retrouver. On a souvent besoin d'aller au fond de soi, dans l'obscurité, les ténèbres, pour y découvrir l'envie, le goût, le besoin de la lumière.

Chercher Dieu, non pas au bout du monde, mais en soi-même… comme si l'on disait : « Je ne suis pas seul, je sens en moi une présence. »

Ce que je sens en moi ressemble plus à un goût d'infini, à un désir d'absolu… auquel je n'ai pas envie de donner un nom grandiose. J'ai souvent senti en moi une pulsion, une nécessité qui me fait parler de celui de plus que moi que je m'efforce d'être.

Mais voilà que nous tergiversons, tous les deux, autour d'un trou noir qui semble vouloir capter toute lumière et ne pas la laisser s'échapper!

Encore une fois, vous empruntez au monde de l'astronomie… Vous êtes vraiment attiré par cette science?

Je suis loin d'être un spécialiste; je suis plutôt un curieux. Cela me passionne! Certains trouvent étrange que je puisse passer des heures plongé dans une revue comme *Ciel et espace*. À quoi cela peut-il bien me servir ? Le fait de pouvoir contempler aujourd'hui sur photographie presque toute notre galaxie ne me semble pas effrayant, mais plutôt extrêmement fascinant. Je suis très curieux devant tout cela. Je suis souvent étonné et ébloui par tout ce qu'on découvre, très progressivement, ces dernières années. La valeur, par exemple, de quelques gouttes d'eau sur la Lune ! Cela signifie que tout est en mouvement et que nous avons encore quelque chose à découvrir sur la Lune. Nous n'avons pas tout vu en y posant le pied. Nous y avons pour l'instant posé le pied, mais pas l'esprit. Et au fur et à mesure que nous poserons autre chose que nos gros sabots sur la Lune, Mars, Callisto, Titan ou sur les autres planètes et satellites du système solaire, nous en apprendrons davantage. Sur les astéroïdes, par exemple. Vesta et les milliers d'autres.

Mais les astronautes n'ont pas vu Dieu…

Les astronautes travaillent avec une telle discipline et sur des choses tellement nouvelles pour eux, avec sans cesse la possibilité de découvrir et de s'offrir aux surprises, bonnes ou mauvaises, qu'ils ont peu de place pour la philosophie ! Leur discipline ne leur permet pas beaucoup de philosopher. Mais je les admire énormément. J'admire l'audace qu'il leur a fallu, toute la science qu'ils ont dû accumuler pour avoir le droit de monter à bord… Ils me fascinent par leur esprit d'aventure, leur goût d'absolu, leur patience, tout le temps investi pour réaliser un instant de travail, parfois de beauté… Les Magellan et les Christophe Colomb d'aujourd'hui.

⌒⌒ ⌒⌒

Vous qui êtes attiré par la beauté, vous vous êtes fait le cadeau, pour vos 80 ans, de composer une messe.

J'en rêvais depuis un demi-siècle. J'ai toujours voulu faire mes propres traductions en français des textes liturgiques latins.

N'est-ce pas un anachronisme, dans une société comme la nôtre? Auriez-vous osé, il y a 30 ans, écrire une messe? Aurions-nous accepté, il y a 30 ans, que Gilles Vigneault nous dise : « Moi, je vais écrire une messe »?

Peut-être… Mais ce n'est pas le même auteur qu'hier. Et j'aurais eu moins conscience de ce que je faisais, et certainement moins de connaissances. J'y songe depuis 1960! J'en avais souvent parlé avec Gaston Rochon, avec qui je voulais écrire cette messe.

Vous écrivez : « Il faut être de tous temps sur ses gardes pour ne pas céder à la tentation quotidienne d'être de son temps[15]. » Autrement dit, ce n'est pas à la mode d'écrire une messe et de la présenter au grand public?

Non! Ce n'est pas à la mode. D'ailleurs, rien ne se démode plus vite que la mode! La mode ne s'inscrit pas dans le temps humain, elle s'inscrit dans les goûts du public et, surtout, dans les nécessités des commerçants. Elle ne s'inscrit pas dans la durée. Par essence, par définition, la mode

---

15. Gilles VIGNEAULT, *L'armoire des jours*, Montréal, Nouvelles éditions de L'Arc, 1998, p. 146.

n'est pas faite pour durer. Paul Valéry a dit : « Il n'y a de véritablement moderne que ce qui a bien vieilli. » Je me le cite souvent.

Quelle a été la réaction des gens autour de vous quand vous avez annoncé votre intention d'écrire une messe ?

Au départ, bien sûr, ils ont été étonnés. Ensuite, comme ce sont des gens cultivés, ils ont fait le lien avec la musique sacrée qu'ils connaissent. Ça existe, la musique sacrée ! Et des musiciens pas trop insignifiants comme Bach, Mozart, Beethoven, Rossini en ont écrit. Ils ont tous composé des messes : Schubert, Liszt, Palestrina, etc. Tous ces gens-là ont donné au genre *missa solemnis*, au genre *oratorio*, leurs lettres de noblesse au sein de la musique universelle. J'ai écouté toutes ces œuvres… et j'ai tenté de ne me souvenir que de la mienne. C'était déjà beaucoup ! [*rires*] En fait, j'ai essayé de me souvenir de la messe telle que j'aurais voulu qu'elle soit chantée, à ma manière, dans mon enfance, à Natashquan. Je me suis souvenu de mon attitude envers les célébrants. J'ai été influencé par le fait d'avoir appris le latin, puis de l'avoir enseigné, de constater la difficulté que représente la traduction du *Notre Père* en vers français, même à rimes blanches. Tout cela m'a conduit dans une démarche artistique, qui est devenue une démarche religieuse. Mais c'est d'abord une démarche artistique. Je l'ai souligné à l'annonce du projet : « Ce que j'écris, ce n'est pas une encyclique, c'est une messe ! »

Quelle différence faites-vous entre les deux?

L'une est une démarche dogmatique de dirigeant, l'autre une démarche artistique de croyant.

Vous avez dit au sujet de cette messe : « Nous avons abordé l'idée d'écrire une messe avec beaucoup de respect pour ceux qui étaient là avant nous, pour nos parents. Nous ferons une messe avec la foi. La foi en quoi? Foi en les humains d'abord, avant même la foi en Dieu [16]. » C'était donc une sorte de reconnaissance à l'égard de ceux et celles qui vous ont précédé?

C'était une espèce de politesse à faire à leurs vies, à la façon dont ils ont vécu, à la musique qu'ils ont entendue, aux paroles qu'ils ont prononcées quand ils étaient jeunes, aux sacrements qu'ils ont reçus, à leur manière de les accepter, de les recevoir. Et c'est aussi une politesse que je me faisais à moi-même, à mon enfance, à la vie que j'ai vécue. Je considère tout cela dans un même grand flot de transhumance. Je suis un descendant de tout ce qui m'a précédé. Je suis l'enfant de tout ce qui m'a précédé, gènes y compris! À cause de cela, tout ce que je fais rend hommage à mon trisaïeul. Et tout ce que je fais de mal lui fait honte.

---

16. Festival des musiques sacrées du Québec, Communiqué de presse, 26/02/2008, 14h39.

LE SILENCE

Gilles Vigneault, vous n'êtes pas un homme de silence.

On ne dirait pas ! Je ne voudrais cependant pas qu'on dise de moi : « Il a tout dit sur le silence. » Aussi, j'apprends à me taire.

Comme d'autres, vous manifestez votre inquiétude devant l'absence de silence. Jacques Grand'Maison, citant un mystique soufiste, écrit : « Si le mot que tu veux ajouter n'est pas plus beau que le silence, retiens-le [17] ! »

Pourquoi donc cette absence de silence ? S'il y a absence de silence, c'est pour nous distraire. De *dis* et *trahere* : « tirer hors de… », c'est-à-dire « sortir du chemin ». Il y a absence de silence pour oublier qu'on va mourir. En effet, tant qu'il y a du bruit, tant qu'il y a du mouvement, on a l'impression qu'il y a de la vie. Dès que quelque chose s'immobilise, on a l'impression que c'est mort. Mais ce n'est pas le cas. Certaines choses très immobiles sont vivantes ! L'arbre, en général, fait peu de bruit. Même quand il veut en faire, il a besoin du vent. Il demande alors au vent, à l'air, de faire bouger ses feuilles. En fait, ce n'est pas l'arbre qui le demande, c'est l'air qui décide de s'amuser avec les feuilles de l'arbre. Et l'arbre vit ! Mon père disait, à propos des choses qui continuent malgré nous, à propos des choses qui se font et dont nous ne sommes pas conscients : « Les arbres, on n'en a pas connaissance, mais ils continuent de grandir en hiver. » J'aime bien cette idée de l'hiver intervenant sur

17. Jacques Grand'Maison, *Réenchanter la vie*, Saint-Laurent, Fides, 2002, p. 25.

l'arbre. Celui-ci a perdu ses feuilles, on dirait qu'il est mort. Pas du tout! La sève qui nous donne le sirop d'érable en est la preuve au printemps. Il y a donc des choses qui continuent de se faire dans l'immobilité totale, dans le silence.

Le 23 mai 1999, vous avez écrit : « On passe une belle moitié d'une vie à fuir le miroir du silence[18]. » Et aussi : « À qui peut s'en servir, on offre des silences[19]. » Quel sens donner à ces propos?

À qui veut s'en servir, j'offre mon silence. J'offre mon silence à celui qui a la capacité ou le goût de l'interpréter et de s'en servir. Cela veut dire : devant la personne qui se trouve devant moi, je vais continuer de penser et de ne souhaiter qu'une chose, que cette personne réfléchisse elle aussi. Que dans mon silence elle voie d'abord un aveu : « Je suis humain, je ne suis qu'un être humain, comme toi. Même si tu considères mon silence comme important, grave, soit à cause de ce que tu as lu, de ce que tu as vu, de ce que tu sais, de ce que tu as appris, ce n'est pas grave. Tu considères mon silence comme intéressant. Alors, réfléchis sur le tien. Et après, tu seras capable de te servir de ton propre silence pour ne faire que penser, comme si c'était une occupation uniquement ludique, une distraction. » Ne faire que penser. « Penser, c'est beaucoup d'ouvrage », auraient pu dire Schopenhauer, Kierkegaard, Lorenz, Pascal et quelques autres. Bien sûr, penser est une occupation à temps plein.

18. *Les chemins de pieds*, p. 95.
19. *L'armoire des jours*, p. 39.

Pourquoi le silence est-il si difficile entre deux êtres ? Le silence de l'un crée souvent le désarroi chez l'autre.

C'est souvent parce que les deux êtres ont peur l'un de l'autre. Ils ont tous deux peur d'être trahis, même quand ils ont profondément confiance l'un en l'autre. Dans l'écrit, c'est encore pire. Parce qu'écrire, c'est une façon de parler sans bruit. C'est une manière de parler en silence… ou de faire parler le silence qu'on a vécu avant. Aujourd'hui, on fait beaucoup de bruit pour étourdir en soi la peur de la mort. C'est inéluctable, on sait qu'on devra partir un jour, mais tant qu'il y a du bruit, tant que quelque chose bouge, on dirait qu'on a moins peur. C'est beaucoup, je crois, pour s'empêcher de penser, au fond ! Pour s'empêcher de penser et d'aboutir finalement, au bout de nos pensées, à la pensée de la mort. Pascal a dit : « Le silence des espaces infinis m'effraie. » Si nous savons aujourd'hui que l'Univers est loin d'être silencieux, qu'il est rempli de bruits, du temps de Pascal, on saisissait moins bien tout cela. Mais il n'en demeure pas moins que l'Univers n'est pas bruyant spirituellement. Il est plutôt silencieux.

Dans la vie monastique, le silence prend une très grande importance.

Énorme ! Quand je pense que Michel Chartrand a été moine ! [*rires*] Je l'ai souvent taquiné avec ça !

Michel Chartrand avait peut-être de grands moments de silence. Peut-être que comme Gilles Vigneault, qui chante et parle à tue-tête, même dans les couloirs du collège…

Effectivement, je quittais parfois le collège pour aller m'asseoir au bout du quai, à Rimouski, pour regarder la mer. Et là, je laissais la mer parler…

Dans *Les chemins de pieds* [20], vous écrivez :

> *Comment savoir d'avance*
> *Si c'est le mot silence*
> *Qui convient à l'idée que je me fais du vide ?*
> *Du néant, de l'espace ou de l'éternité ?*
> *Nuit… océan… désert… cosmos ou galaxie ?*

Selon vous, à quoi le mot « silence » convient-il ? Vous renvoie-t-il à ce silence qui régnait à Natashquan, dont vous nous avez parlé un peu plus tôt ?

[*silence*] Le mot « silence », pour moi, renferme toute la pensée du monde. Tout ce qui a été pensé. Tout cela flotte dans le mot « silence ». Et de temps en temps, on en saisit un mot, parfois une lettre, parfois même une quinzaine de lettres. On essaie alors de former un mot avec, mais on n'y arrive pas. On n'y arrive pas, parce qu'il me semble qu'on trouverait là une clé du mystère. La clé d'un mystère.

[*long silence*]

Certains silences sont des silences de repos, de vide. Certains silences sont très graves, très lourds. Quand un

20. *Les chemins de pieds*, p. 211.

amoureux demande à sa bien-aimée si elle l'aime… [*long silence*]… et que celle-ci ne répond pas tout de suite, il se retrouve dans un silence extrêmement lourd, pesant. Il est au bord d'une falaise, d'un gouffre. Il est sur un fil de fer, funambule immobile. Si elle répond « oui », il continue d'avancer vers le point tendu qui l'attend, qui l'appelle. Si elle répond « non », il se peut qu'il perde son balancier et tombe. [*silence*] Ce silence-là est parmi les plus quotidiens.

J'ai connu un homme, un pianiste au talent extraordinaire, qui m'a déjà accompagné. Il était amoureux d'une fille. Un jour, il l'a appelée à partir d'une cabine téléphonique et lui a demandé : « M'aimes-tu? » La jeune femme n'a pas répondu tout de suite. Il lui a dit : « Si tu ne me réponds pas dans trois secondes, je me fais sauter la cervelle. » Elle est restée silencieuse, peut-être parce qu'elle était terrorisée, peut-être parce qu'elle ne le croyait pas… Et au bout de trois secondes : « BANG! » L'homme a été retrouvé mort dans la cabine téléphonique. Il y a des silences qui sont dangereux. Je n'accuse ici personne. Ni elle ni lui.

LA PRIÈRE

Le silence peut-il devenir prière?

Le silence ne deviendra prière que s'il y a intention de prière. Le silence peut constituer une bonne préparation à la prière. Le silence, c'est le temple dans lequel on peut entrer pour prier. On entre dans le temple. Le temple était là, il nous attendait ou il n'attendait personne, mais la porte est ouverte. On entre dans le silence. Peut-être qu'on s'agenouille, peut-être qu'on s'assied.

Quand nous allons à l'étranger, ma femme et moi, que ce soit au Mexique, en Italie, en Turquie, au Japon ou ailleurs, il nous arrive très souvent d'entrer dans les temples, quelle que soit la Santa Maria Maggiore ou la « Sainte-Sophie » du lieu. Nous entrons et nous nous asseyons en silence, pour observer et réfléchir. Nous n'en parlons pas par la suite entre nous, sinon pour nous dire : « C'était vraiment différent » ou « Nous devrions le faire plus souvent ! » Nous allons en effet chercher là une eau qui n'est pas de toutes les fontaines. Nous allons chercher là une eau de vie pour pouvoir, en ressortant dans le bruit de la rue, avoir toujours accès à cette espèce d'oasis que nous avons recueillie en nous. J'aime bien le mot recueillement...

Dans *Les chemins de pieds,* vous avez écrit : « La prière est une sortie en mer intérieure et comme une façon de passer des images aux pensées[21]. »

C'est une image un peu poétique ! Le commencement d'une recherche ?

Vous l'avez dit : poésie et sacré sont proches l'un de l'autre.

Oui, et ils devraient toujours l'être. Je considère la prière comme une sortie en mer intérieure, parce que dans la prière, au départ, on évoque... et on invoque parfois ensuite. Il est rare qu'on prie vraiment pour soi. On prie

---

21. *Les chemins de pieds*, p. 146.

plus volontiers, et c'est plus facile, pour les autres, pour que telle chose se produise, pour que telle âme du purgatoire, comme on le disait dans le temps, trouve le repos. Il m'est souvent arrivé de dire, à propos de quelqu'un qui venait de partir : « Que les âmes des fidèles défunts reposent en paix, par la miséricorde de Dieu. Ainsi soit-il. » C'est la prière apprise dans l'enfance, le « R.I.P. » qu'on grave sur les tombes… Et, tous les soirs de représentation, je la dis en pensant à Gaston, à Robert, à Bruno et à tous les Sylvain Lelièvre et les Claude Léveillée, les Brel, Barbara et Brassens qui faisaient si bien ce métier que je m'apprête à faire une fois de plus…

C'est l'espèce d'escalier qui descend ou qui monte. Disons qu'il descend. C'est un escalier qui descend dans son propre sous-sol. Arrivé en bas, on voit volontiers une flamme, une chandelle, un cierge qui brûle. On regarde un peu plus loin, dans certains coins il y a parfois une statue. Dans d'autres, au Mexique, par exemple, une image de la Vierge de Guadalupe.

Je me souviens d'un très beau petit sanctuaire. Nous marchions dans un sentier que le poète Bashô avait foulé, au Japon. Nous faisions route vers sa patrie, Hiraisumi. Tout à coup, nous avons aperçu un petit sanctuaire. J'ai demandé à notre guide, une femme polyglotte, d'une grande intelligence, quelle était la signification du lieu. « C'est pour l'âme de Bashô, pour honorer sa mémoire. » Je lui ai demandé ce qui y était inscrit. « Il est écrit tout simplement que Bashô s'est abrité pour la nuit en cet endroit. » Il y avait là un sanctuaire, avec de l'encens, des fleurs, une flamme. Quelle belle manière d'honorer les morts ! Quatre siècles après sa mort, ce poète était honoré à l'endroit où il avait un jour trouvé un abri pour la nuit. Avant que nous honorions nos poètes de cette façon, il coulera un peu d'eau dans le fleuve !...

Dans 400 ans, peut-être que quelqu'un arrivera à Natashquan et dira : « Ici est né Gilles Vigneault. »

Ce n'est pas ce que j'avais en tête. Je pensais à Miron et à Morency, à Brault, à Nicole Brassard, à Paul-Marie Lapointe, à Michelle Lalonde et à d'autres. Je ne les nommerai pas tous, ils sont trop nombreux ! Le Québec est l'un des endroits du monde où il se publie le plus de poésie.

Est-ce que nous formons des lecteurs de poésie ?

Ça va venir, petit à petit. Un peu comme on forme des électeurs. Progressivement.

Après avoir affirmé à Marie-France Bazzo que ce qu'il y avait de caché en vous, c'était la prière, vous avez ajouté : « La prière a fait du bien à mon père, à ma mère, à ma sœur et à bien d'autres. J'en ai la preuve. » En quoi la prière peut-elle « faire du bien » ?

La prière fait du bien parce qu'elle oblige d'abord à quitter le bruit ambiant et à jouer à son propre miroir, c'est-à-dire réfléchir sur soi-même, sur ce qu'on a fait, sur ce que l'on est, sur les autres. Par la prière, on est obligé à la compassion.

En latin, *cumpatire*. La prière, ça va avec la conscience des autres, parce que dans la prière nous rejoignons toutes les moniales et tous les moines qui passent une bonne partie de leur vie en prière.

Pour ma part, prier crée en moi un grand calme. Et je n'invente pas de prières spéciales.

Vos prières d'aujourd'hui sont-elles différentes de vos prières d'enfant?

Pas du tout! Ce sont les prières les plus confortables. Quand on les dit avec un peu d'attention, on s'aperçoit qu'on peut les adapter à toutes sortes de situations, à différents états d'âme. Voilà pourquoi dans la messe que nous avons écrite, Bruno Fecteau et moi, nous avons insisté pour qu'il y ait, au graduel, une prière à Marie. À la suggestion de Bruno Fecteau, c'est devenu un chant d'amour à la Sainte Vierge. Et c'est une des parties de la messe que les gens préfèrent et dont on nous parle souvent.

Prier, c'est aussi méditer, vous l'avez souligné. Vous l'avez d'ailleurs écrit: « Prier, c'est de bonne santé dans la pratique, dans l'ordinaire, comme d'autres diraient méditer. Méditer, c'est à la portée de tout le monde, prier, c'est à la portée de tout le monde si ça leur fait du bien. » Faites-vous une distinction entre prier et méditer?

La méditation est une autre démarche. Il y a une distinction entre les deux, mais je ne sais pas bien la faire. Un adepte de la méditation transcendantale, par exemple, saurait

la faire. Moi, je ne sais pas bien méditer. Dire : « Je sais prier »,
c'est un peu prétentieux… je crois savoir prier un peu.

**Comment priez-vous ? Avec quels mots ? Quels sont les mots
de la prière d'un homme de 80 ans ?**

Je prie volontiers en latin. C'est très curieux, parce que j'ai
enseigné le latin, je devrais donc tout comprendre. Même
si j'en ai oublié un peu, j'arrive à comprendre l'essentiel. Il
m'arrive souvent de chanter un psaume comme *Lucis
Creator optime* ou *Creator alme siderum*. Ces chants sont
très beaux, ils sont vraiment parfaits.

**Vous devez les reprendre souvent pour vous souvenir de tous
les couplets comme vous le faites ?**

Oui, je les connais tous. Je prie aussi en latin avec le *Pater
Noster*, l'*Ave Maria*, avec la prière du centurion romain à
Jésus : *Domine, non sum dignus ut intres sub tectum meum,
sed tantum dic verbo et sanabitur anima mea* (cf. *Matthieu
8, 8*). « Dis seulement une parole. Dis seulement un mot.
Un mot de toi et mon âme sera guérie. »

**On est loin du temps où il fallait souffrir pour être sauvé. Si
vous me dites que prier vous fait du bien, autrefois, il n'était
pas question de se faire du bien en priant ! Il fallait expier…**

On n'avait le droit de se faire du bien nulle part ! Il fallait
même se faire du mal. Se flageller était une vertu…

Dans votre chanson « Les outils », vous dites : « Apporte ta prière, j'apporte ma chanson[22]. » Ça devient en quelque sorte un moment de réjouissance, un moment de joie?

C'est une façon pour moi de dire que les moines et les moniales contribuent considérablement à construire le monde et à fabriquer les humains de demain, qui devraient être meilleurs que ceux d'hier. Plus intelligents, mais aussi plus compatissants, plus sensibles. Aujourd'hui, on assiste à plus de drames, de viols, de toutes sortes d'accidents, mais c'est en grande partie parce qu'on est davantage au courant. Des efforts considérables sont consacrés à nous en informer. Malgré tout cela, il y a aussi beaucoup plus de compassion. Et l'on parle moins de tout cela. La compassion à l'égard d'Haïti suite au tremblement de terre de janvier 2010 est bien plus considérable que ce qu'on en voit. En effet, la compassion ne vient pas des gouvernements ou des États. Elle ne vient pas des dirigeants. Elle ne vient pas des banques, ni des millionnaires, ni des milliardaires de ce monde. Elle vient des gens humbles qui envoient cinq dollars à Jacqueline Lessard[23] ou à quelqu'un d'autre, pour dire qu'ils s'associent à la compassion offerte aux Haïtiens par des gens comme cette femme de cœur et bien d'autres. La compassion des personnes s'est rendue jusqu'en Haïti… alors que la compassion des États attend encore dans les coffres des banques! [*silence*]

Nous ne devons pas attendre que la compassion vienne des riches. La compassion vient des pauvres, parce qu'ils la connaissent, ils savent qui en a besoin. Les pauvres ont

22. *Les gens de mon pays*, p. 396.
23. Cette femme originaire d'Alma, au Québec, aujourd'hui âgée de 84 ans, a fondé un orphelinat en banlieue de Port-au-Prince, il y a 14 ans. La fondation Jacqueline Lessard a réussi à amasser 800 000 $ auprès d'entreprises privées et d'organismes québécois pour financer la reconstruction de l'orphelinat, détruit lors du tremblement de terre de janvier 2010.

inventé la compassion. Les riches, eux, inventent la crise économique… Retrouvons ici le sens des nuances ! Il y a bien sûr des exceptions. Heureusement. Il y en a.

Prier dans un monde qui ne valorise pas la prière, dans des églises vides, dans un environnement qui désacralise tout… D'ailleurs, vous avez écrit dans *L'armoire des jours*[24] :

> *Un amour sans habitude,*
> *c'est comme une religion sans rituel.*
> *Mais le rituel à tout prendre,*
> *c'est l'encadrement qui n'a plus de sens*
> *si les couleurs du tableau s'étiolent.*

Les couleurs de votre foi sont-elles en train de s'étioler ? La foi est-elle en train de perdre son nom ? Je pense au canot de votre oncle Claude, qui avait été emporté en novembre, puis retrouvé quelques mois plus tard. Et votre père avait dit : « Ça fait longtemps qu'il a perdu son nom de canot ! » Vous complétez : « Une chose est tout à fait morte quand on ne sait plus la nommer. Une culture, par exemple… ou un peuple… qui perdrait sa langue[25] »… et moi j'ajouterais « sa religion ».

J'irais encore plus loin. Un peuple qui perdrait ce qu'il y a de sacré pour lui… Si sa langue est ce qu'il y a de sacré pour lui, si ce peuple vient à perdre sa langue, il perd son âme ! [*silence*] En perdant sa langue française, le Québec perdrait son âme. Voilà pourquoi on écrit parfois : « Quand nous partirons pour la Louisiane, nous apporterons ton vieux dictionnaire et quelques dictons[26]. » Perdre ce qu'il y a de

24. *L'armoire des jours*, p. 16.
25. *Bois de marée*, p. 71.
26. *Les gens de mon pays*, p. 220.

sacré pour soi, c'est perdre son âme, perdre la vie. La survie d'une langue, c'est pour moi l'écologie du dedans !

⌇ ⌇ ⌇

Nous avons déjà vu le lien que vous faites entre la poésie et le sacré. Pourrait-on dire que, dès le départ, la dimension spirituelle faisait partie de votre démarche de créateur, de poète ?

Ça part de là. Les deux sont parentes. En fait, cela fait partie de mes confusions. Je ne suis pas le seul à voir ces choses-là confusément. Aujourd'hui, je peux distinguer entre spiritualité et religion. Mais autrefois, non.

Quelle distinction faites-vous entre spiritualité et religion ?

Pour moi, c'est très différent. La spiritualité, c'est un besoin de se ressourcer en soi-même, de croire qu'il y a en soi quelque chose de plus que ce qu'on perçoit. C'est croire qu'on a en soi des pouvoirs insoupçonnés, et que le recueillement peut nous apporter beaucoup pour la vie ordinaire, la vie « extérieure ».

La religion, *religare*, c'est à l'extérieur de la spiritualité. Elle relie la spiritualité personnelle de chacun avec un infini quelconque, quelque part à l'extérieur de soi. La religion tente de relier l'homme à Dieu. C'est un lien qu'on tente de créer, qu'on réussit parfois à créer entre soi et l'Invisible, l'Inconnu, l'Inconnaissable ou l'Innommable. Tandis que la spiritualité se vit *intramuros*. Elle consiste pour moi à relier l'*intramuros* avec l'Infini, avec la religion. La religion, c'est très proche de ce que j'appelle la foi verticale. Par les chemins du collectif.

Vous parlez de foi verticale et de foi horizontale. Quelle est la différence entre les deux ?

La foi horizontale, c'est la foi dans les autres. Par exemple, tu es en train d'écrire un livre à mon propos. Je dirais « à mon occasion ». Je suis pour toi l'occasion d'écrire un livre. Ça me suffit. Tu n'écris pas un livre sur moi. Tu écris un livre sur toi, mais à mon propos. Je suis l'occasion de ce livre. Et c'est très bien. Je trouve cette entreprise très saine, très culturelle et très spirituelle. C'est *intramuros*. C'est toi qui écris un livre sur toi et je t'en fournis l'occasion. Je suis heureux et flatté, bien sûr, de t'en fournir l'occasion.

Imagine la foi que cela me demande, à moi, de te dire tout ce que je te révèle. Il faut que j'aie foi en toi. J'ai foi en l'humain. J'ai foi en eux, qui m'écoutent. Vous n'êtes pas là pour me trahir toi et ton équipe. Mais je dois ajouter foi au fait que vous veniez ici et que vous écrirez un livre à partir de ce que je dis. Si on n'a pas confiance, c'est inquiétant et dangereux.

Voilà ce que j'entends par foi horizontale, foi dans les autres. Je crois que l'homme va finir par corriger ses bêtises sur la planète. Je crois que l'homme ira un jour à l'extérieur du système solaire. Je crois que l'homme va proliférer dans l'espace.

Pour le meilleur et pour le pire ?

Toujours pour les deux ! Et il y en a peut-être même un troisième, que je ne connais pas. Nous devrions toujours laisser de la place au troisième, dans notre pensée, à tout le moins. Nous devons avoir cette foi en l'homme. J'ai foi en l'homme. Après, certains bâtissent une stèle, un socle, une tour de Dubaï… Soit dit en passant, il paraît qu'ils ont des problèmes avec les assises.

Une tour de la démesure, comme une tour de Babel ?

Ça me rappelle ce que disait Baudelaire : « *Prodigue ! Esto memor !* [Mon gosier de métal parle toutes les langues.] » Oui, certaines personnes bâtissent la tour de Dubaï là-dessus. Il a fallu qu'ils y croient, les architectes, qu'ils croient que ça allait tenir, que la tour ne s'enfoncerait pas dans la terre jusqu'au magma ! Il leur a fallu pas mal de foi. On dresse la tour vers le ciel. « Regarde comme je crois ! » Mais comment ? Et de quel verbe s'agit-il ?

Croire ou croître ? On n'y échappe pas…

Oui. *Cresco* ou *credo* ? À mon avis, c'est les deux. L'homme qui grandit ne croit pas si bien croire. Il ne se doute pas de la foi qu'il a en lui et en autre chose pour croître de cette façon.

Le côté religion, le côté rituel, lois, règles, nous ont été imposés. Dans le monde entier, la religion est imposée. Ce n'est pas une raison pour jeter les rituels aux orties alors qu'on pourrait encore s'en servir à d'autres fins même…

Et pourtant, vous continuez de prier...

Je prie, parce que la religion n'est pas la spiritualité. La spiritualité, ça va beaucoup plus loin. La religion, c'est le cadre. La spiritualité, c'est le tableau. La spiritualité, on la retrouve chez tous les peuples de la terre. Il existe chez tous les humains une part de spirituel, de crainte, de respect et de curiosité pour l'Invisible. Les chefs des religions se sont cru les seuls dépositaires autorisés de toute spiritualité sur terre. On appelle ça un abus de pouvoir.

Il est effrayant de penser que la religion ait pu conduire à des événements comme ces deux avions projetés dans les tours de New York... [*silence*] On a utilisé la religion, on s'est servi de la foi pour envoyer ces gens-là tuer et se tuer. On a dit que c'était l'arme du pauvre! Oui, mais on n'a pas beaucoup évoqué, à l'occasion de cette tragédie, les misères que l'Amérique a imposées dans le monde. On ne s'est pas beaucoup attardé sur le sujet! On aurait pu en faire de grands titres de journaux, mais tout cela a été oblitéré par la rapacité, l'avidité de l'homme. Et l'homme, *homo americanus*, n'étant qu'une espèce de résumé de la terre entière... ce qui n'est pas très rassurant!

Une religion, quelle qu'elle soit, qui arrive en armes me fait peur. Je suis toujours inquiet à l'égard de toutes les forces d'inquisition qui pourraient se produire sur la terre, et ce, dans toute religion. Il est toujours possible et toujours dangereux de mettre Dieu ou Allah ou un autre au service de ses propres ambitions. Je dis bien « au service » : Dieu engagé comme mercenaire, ça me fait peur.

Vous continuez de prier, sans savoir si vous êtes entendu.

Oui. Au départ, Teilhard de Chardin souhaitait que nous finissions par faire que Dieu soit. Un Dieu en devenir. Nous prions sans savoir si nous sommes entendus, mais en espérant ! Péguy, que je n'aime pas par ailleurs, a eu ce mot extraordinaire : « La foi que j'aime le mieux, dit Dieu, c'est l'espérance. » C'est très beau !

Espérer être entendu, cela vaut pour moi autant et peut-être plus que cette espèce de certitude, évidemment naïve et aveugle, d'être entendu. « Certitude » est un mot extrêmement inquiétant, extrêmement dangereux, pour qui réfléchit un peu. Des certitudes, nous n'en avons vraiment que très peu. Certains sont sûrs de bien faire. D'autres sont sûrs d'être entendus quand ils parlent. D'ailleurs, « incertitude » va très bien – et rime, en plus – avec « solitude ». On est tous, la plupart du temps, incertains et seuls. L'incertitude du rêve est l'une des incertitudes les plus confortables. C'est le cas aussi de l'incertitude du sommeil. L'incertitude pour moi a toujours été une espèce de condition de réflexion. Je réfléchis parce que je suis incertain et je suis sûr d'être incertain...

En fait, la certitude d'être entendu est aussi prétentieuse que la certitude de ne pas l'être.

LA SOLITUDE

Êtes-vous un homme au tempérament solitaire? Acceptez-vous facilement la solitude?

Je ne suis pas solitaire. Je suis un homme bavard, je peux difficilement être à la fois solitaire et bavard. Mais entre les bavardages, quand j'arrive à me taire ou quand on arrive à me faire taire, je crois que je deviens parfaitement seul, dans une réflexion qui me touche, par exemple.

J'écris très souvent. Écrire, c'est au départ être seul. Écrire, c'est se cacher de tout ce qui nous entoure, et de la foule, et du décor, et de l'éclairage, et des sons. Écrire, c'est se cacher de tout. C'est se renfermer dans un chez-soi vague qui peut ressembler à du brouillard, à une brume dans laquelle, de temps en temps, le soleil troue un petit espace par lequel la pensée entrevoit des images, des folies, parfois des extravagances. Être seul, c'est une condition tout à fait propice à l'écriture, à la composition, au rêve. Mais pas pour tout le monde. Pour moi, c'est terriblement facile. J'ai beaucoup de facilité à m'isoler. Je suis justement en train d'écrire une chanson sur le sujet. Le texte est une sorte de réponse à une femme qui demande : « Où es-tu? » quand on est dans la lune, perdu dans nos pensées. Quand une femme vous questionne, elle demande : « À quoi penses-tu? » Cela veut dire en fait : « À qui penses-tu? » Et je réponds :

Dans l'église de mon silence,
une femme prie et c'est toi.

Cherchant les couleurs de la foi,
au beau vitrail de l'espérance.
Une femme prie et c'est toi.

Dans la chambre de mon silence,
une femme dort et c'est toi.
Sur la plage de mon silence,
une femme marche et c'est toi...

Ma chanson répond donc à la question qui nous est posée lorsqu'on est seul dans ses pensées et qu'on a l'air d'être ailleurs. La plupart du temps, on est à côté de la personne. En effet, être ensemble en silence, c'est parfois être plus ensemble que lorsqu'on bavarde, qu'on discute, qu'on se questionne, qu'on répond. On arrive, après bien des années auprès d'un être qu'on aime et qui nous aime, à cette communion d'esprit et d'âme qui fait par exemple que parfois l'un des deux commence une phrase... et l'autre la termine. On arrive à cela, il me semble. Et cela m'apparaît être le contraire de la solitude. Deux solitudes qui s'entendent pour s'admettre comme telles. Cela vaut mieux, à mon avis, que des gens qui, en parlant tout le temps, font semblant d'être d'accord ou d'être ensemble.

Pour vous, donc, la solitude n'est pas souffrance?

Non, pas du tout! Et elle ne l'a jamais été, sauf si la peur est présente. Je me suis déjà perdu en forêt, très, très loin d'ici, avec un canot sur la tête, ma hache et mon sac à dos, dans des sentiers mal balisés. Je connaissais assez bien la forêt, mais je me suis perdu. J'ai éprouvé alors une grande solitude. Je ne peux pas dire que j'avais peur, mais j'étais inquiet. « Inquiétude », qui rime avec « solitude »… Perdu en pleine forêt, entre l'Abitibi et Chibougamau, j'ai vécu là un des plus beaux moments de ma vie. Tout à coup, j'ai entendu : « *Koué… koué…* » J'ai aperçu un Indien qui arrivait dans le sentier, tout près. Je savais juste assez de montagnais pour pouvoir lui proposer de faire du thé : « *Népi chapué.* » *Népi*, c'est l'eau. Il m'a dit d'aller à la source à tel endroit, pas très loin, en me donnant la chaudière à thé. Lui s'est mis à ramasser des branches et a commencé à faire du feu. Et nous avons fait du thé. Comme je parlais très peu de montagnais, nous ne nous sommes presque rien dit. Il m'a tout de même fait comprendre que le portage était à tel endroit, qu'il savait où j'étais, parce qu'il avait vu l'avion amerrir sur le lac. Grâce à lui, j'ai réussi à retrouver mon chemin. Quand je l'ai remercié, il est reparti en riant… Ça le faisait rire, parce qu'il avait en quelque sorte triomphé d'un Blanc. Le Blanc était perdu, pas lui! Et cela le faisait rire, ça le mettait en joie. Il m'a indiqué la direction à prendre et a repris sa route. Je me suis retourné pour le saluer, mais lui ne s'est pas retourné. Je me suis retrouvé dans mon sentier et j'ai eu des tas de choses à raconter à mes amis qui m'attendaient.

Je fais le lien entre solitude et prière… Prier seul, est-ce que c'est difficile?

Non. Pour moi, prier seul, c'est autant prier que prier collectivement. Décider de prier seul, c'est même un engagement différent envers la prière. Prier, c'est d'abord croire en soi avant de croire en quelque chose ou en quelqu'un d'autre qui puisse nous répondre. Où qu'on soit, on se trouve toujours dans un temple. La forêt, par exemple, convient remarquablement à la prière. Mais où qu'on se trouve, on peut prier seul. Il m'arrive aussi de prier avec d'autres. Cela me semble plus facile, plus « confortable », alors que prier seul constitue un acte de foi d'abord envers soi-même, envers sa propre existence. C'est décider de se faire suffisamment confiance, pour quelque chose qui semble absurde.

Ma fille Jessica a écrit un très beau texte intitulé *Credo quia absurdum*, « je crois parce que c'est absurde ». Il s'agit d'une phrase attribuée à Tertullien.

Peut-on affirmer alors que votre foi, ce en quoi vous croyez, vous avez réussi à la transmettre, en partie, à tout le moins, à votre fille ?

Je ne pense pas. Je pense que cela part d'elle-même. Je ne crois pas que je le lui aie transmis. Peut-être me dira-t-elle que je me trompe…

Plus vous vieillissez, plus vous vous retrouvez seul pour prier.

Oui, bien sûr. Par définition, plus on vieillit, plus on est seul. En effet, beaucoup de gens qu'on a connus nous ont laissés en cours de route pour aller dans cet ailleurs dont nous ne savons encore rien, dont nous soupçonnons parfois des images, des transparences. Mais ceux et celles qui sont partis nous ont laissé quelque chose : la mémoire de ce qu'ils étaient. Et ces souvenirs sont parfois très vifs, très précieux. On les garde, comme un collectionneur conserve des objets très précieux.

Par exemple, j'ai le sentiment que je peux m'adresser à Ti-Georges, dont nous avons parlé un peu plus tôt.

Votre professeur au collège, à Rimouski, qui organisait des spectacles de chant, de musique, de théâtre…

Je m'adresse parfois à Ti-Georges, pour lui demander de me donner un coup de main pour un projet particulier, par exemple. Si, par hasard, tout se passe bien, je me dis que Ti-Georges m'a peut-être aidé, après tout. Mais qu'il m'ait ou non aidé, ça ne me regarde pas. Ça le regarde, lui, et si le résultat est bon, eh bien, tant mieux !

Je peux aussi me permettre de demander à mon père de me protéger lors d'un voyage, par exemple, parce que mon père aimait bien voyager. Si ça fonctionne, si je reviens sain et sauf, j'ai le droit de m'imaginer que mon père m'a protégé, comme l'aurait fait un ange gardien. Tout cela donne à la vie un piment que le fait de ne croire à rien ne procure pas. Il me semble que cela pimente la vie, cela l'agrémente et enlève beaucoup de stress. Et du stress, Dieu sait qu'on a l'occasion de s'en fabriquer dans cette vie !

Quand vous étiez perdu en forêt avec votre canot, votre hache et un peu de thé, à qui avez-vous demandé de vous envoyer un Indien dans le sentier?

Je n'ai pas demandé qu'on m'envoie un Indien, je n'aurais pas osé. Mais j'ai demandé à mon père, qui s'est déjà perdu en forêt, de m'aider à retrouver mon chemin. Et mon père m'a peut-être envoyé un Indien, je l'ignore. Mais le fait que l'Indien ait été là me réconforte. Bien sûr, certains pourront dire : « C'est facile, tu crois pour ton propre confort... » On me dira ce qu'on voudra. D'abord, il y a peu de choses plus intimes, plus secrètes et plus personnelles chez les humains que le fait de croire ou de ne pas croire.

Vous dites : « On croira ce qu'on voudra ! » Mais cela n'est pas facile à dire ! Est-ce le fait d'être Gilles Vigneault, poète, auteur, chanteur et compositeur reconnu qui vous donne cette liberté ? Plusieurs personnes, en effet, n'osent pas être ce qu'elles sont vraiment.

Il est vrai que bien des gens n'osent pas être ce qu'ils sont. Aujourd'hui, en effet, on nous invite souvent à être quelqu'un d'autre. Le monde nous propose tant de possibilités d'être quelqu'un d'autre, tant de rôles à jouer... Souvent, on s'y laisse prendre, on se fait passer pour... alors qu'au fond on est tout à fait quelqu'un d'autre. Cela se produit très souvent. Pour moi, le moindre risque, c'est d'être soi-même tel qu'en lui-même, l'éternité ne le change pas !

LE PARI

Quand vous avez présenté *Au bout du cœur,* vous avez dit :
« J'écris pour dire que j'existe, pour me nommer à l'autre,
pour qu'il me nomme, pour ne pas mourir. » Peut-on affirmer
que toute votre œuvre est une démarche spirituelle ?

> On peut le voir ainsi. C'est fondamentalement un acte de
> reconnaissance de l'autre, dans le but que l'autre me recon-
> naisse. J'écris mon nom pour que l'autre ait le goût d'écrire
> le sien… et n'oublie pas d'écrire le mien ! Nous en sommes
> tous là.

Est-ce pour cette raison que vous avez jeté tant de bouteilles à
la mer ?

> J'en ai jeté beaucoup, c'est vrai. J'en ai parfois jeté qui ne
> voulaient rien dire. Mais j'en ai jeté aussi pour jouer. C'était
> un peu ma façon à moi d'être un joueur compulsif. Je joue
> beaucoup. Je ne fréquente pas les casinos, mais je joue beau-
> coup. Je joue aux cartes, aux échecs, au billard, aux dames,
> aux dés, au Scrabble, au petit train mexicain, etc. Je joue à
> tous les jeux qui se présentent à moi. J'ai joué aux quilles,
> au hockey, à l'impro…

Et vous jouez à croire ?

> Ah ! m'en rendais-je compte ?

Dans ses mémoires, Hans Küng, ce grand théologien catholique qui a eu tant de difficultés avec son Église, qu'il n'a pourtant pas quittée, affirme : « J'ai fait le pari de croire. » Fernand Dumont parlait lui aussi d'un pari, je crois. Vous pariez donc sur votre au-delà ?

> Il m'est arrivé de dire : le risque m'intéresse. Je prends le risque qu'il y ait quelque chose après la mort… ou qu'il n'y ait rien. J'opte pour la surprise. Je ne serai ni surpris ni déçu s'il n'y a rien, et je serai plus vraisemblablement surpris s'il y a quelque chose.

Vous souhaitez même poursuivre vos études dans l'au-delà ! En effet, à l'occasion du décès de Roland Jomphe, grand poète de la Côte-Nord, vous avez écrit : « Je lui garde mon respect et mon amitié (et il me semble que c'est réciproque…) jusqu'à ce qu'à mon tour je me voie invité à aller poursuivre mes études [27]… » Vous parliez de votre mort.

> Oui ! Roland Jomphe avait dit quelque chose de très beau, avec son incroyable accent de Havre-Saint-Pierre. Il avait dit : « Moi, j'ai fait mes études à l'université des grands fonds. » C'est merveilleux ! Il avait fait ses études à la pêche, au large du Havre. Cet homme a dit bien d'autres belles choses. Il était véritablement poète, peu instruit des règles de la poésie… mais cela n'a pas beaucoup d'importance ! L'important, c'était le fond de sa pensée. C'était un vrai poète, qui n'avait tout simplement pas eu accès à l'université « des p'tits fonds » ! [*rires*]

27. *Les chemins de pieds*, p. 181.

Et de toutes ces bouteilles à la mer, combien de réponses?

Une! Et ce n'était pas moi qui avais jeté la bouteille! Un jour, je me promenais sur la grève avec ma tante Jeanne. Tout à coup, j'ai trouvé une bouteille contenant un message. Quel trésor! Je devais avoir environ 15 ans. Ma tante avait dit : « Sortons le message! » Elle avait pris un petit bois de marée, très mince, avait enroulé la lettre, puis l'avait sortie. Le texte était en anglais. Nous l'avions fait traduire par le père Hulaud, je pense. La lettre avait été écrite par une dame Anderson, qui était en vacances sur le *Princess of Ireland*. Elle écrivait qu'elle enverrait 100 livres à la personne qui découvrirait la bouteille jetée à la mer. Cela représentait toute une fortune pour nous! Nous avons écrit à madame Anderson, et ses héritiers nous ont répondu. La dame était décédée depuis 25 ans et n'avait rien laissé…

Mais une bouteille jetée à la mer avait été retrouvée. C'est donc possible!

Vous avez trouvé une bouteille… mais c'est sans parler de toutes les autres que vous avez jetées sans recevoir de réponses! Vos bouteilles à la mer restées sans réponse, ça ressemble aux messages à Dieu? Il n'y a pas beaucoup de réponses de la part de Dieu…

Ce n'est pas mal, ça! [*silence*]

Quand on jette une bouteille à la mer, ce n'est pas vraiment avec la certitude ou même l'intention de recevoir une réponse. On jette une bouteille à la mer pour que quelqu'un y réponde, mais pas nécessairement à nous. On n'espère pas recevoir une réponse, mais on souhaite que quelqu'un la trouve. On est pas mal Dieu quand on jette une bouteille à la mer... Il faudra que je creuse la question !

Une exaltante quête d'infini

L'homme[28]

C'est un étrange animal
Qui laisse aller sa folie
Entre le bien et le mal
L'art et la mélancolie
Et qui trouve tout normal
Pourvu qu'il se multiplie
Le mort lui sert de cheval
C'est un étrange animal

Entre l'ange et la bête
Je poursuis
Son exaltante quête
D'infini

Voici qu'il se tient debout
Depuis un million d'années
Toujours à chercher le bout
De sa planète étonnée
Il la coud et la découd

28. *Les gens de mon pays*, p. 412-413.

Et la tient si malmenée
Qu'elle enrage de partout
Depuis qu'il se tient debout

Entre l'ange et la bête
Je poursuis
Son exaltante quête
D'infini

Du dernier des matelots
Il s'est promu capitaine
Fait des trous dans son bateau
En rêvant de mers lointaines
Il maltraite l'air et l'eau
L'océan et la fontaine
Le merle et le cachalot
Et ses propres matelots

Entre l'ange et la bête
Je poursuis
Son exaltante quête
D'infini

Misérable ou merveilleux
C'est lui qui pense et qui nomme
L'heure, le jour et le lieu
Et les rêves que nous sommes
Toujours occupé de jeux
Il est le ver dans sa pomme
Il tourne autour de son pieu
Entre la terre et les cieux

Entre l'ange et la bête
Je poursuis
Son exaltante quête
D'infini

Il vit de plus en plus vieux
Mais court de plus en plus vite
Vers un but mystérieux
Qui l'appelle et qui l'évite
Il s'est inventé des dieux
Qui rarement le visitent
Mais il renaîtra du feu
Qui danse au fond de ses yeux

Entre l'ange et la bête
Je poursuis
Son exaltante quête
D'infini

Quelle est donc cette quête dont vous parlez dans cette chanson?

Il s'agit d'une quête qui suppose de devenir celui de plus que moi que je m'efforce d'être. Dans la partie invisible, inquantifiable de l'Univers, il y a une présence, une essence, un être qui, lui, aurait un ordre intérieur et un axe, une direction. Ma quête, c'est de trouver cette direction. Et ma quête est en lien avec l'homme. L'homme dans ses erreurs, dans ses déchets, dans ses merveilles. L'homme, qui se croit seul dans l'Univers, est constamment en quête de direction, en quête d'un pasteur, d'un berger. Il demande à tous ceux qui l'entourent, au monde entier, de lui trouver un pasteur, une direction, « un boss », comme dirait Yvon Deschamps ! Un « boss » qui lui dirait ce qu'il doit faire, où il doit aller et comment faire pour s'y rendre. Pour que l'être humain soit meilleur que ce qu'il a été jusqu'à maintenant. Et pour que l'humain se débarrasse de sa quête d'éphémère, de sa quête d'argent, de richesses, de trésors, pour accéder à une quête plus profonde.

Le théologien Jean-Claude Breton affirmait : « Pour trouver sa voie spirituelle, la personne tend à unifier son expérience de vie dans l'achèvement et le dépassement, par la foi en Dieu ou non [29]. » Pour vous, quel est le principe unificateur qui devrait vous permettre d'être « celui de plus que vous que vous vous efforcez d'être » ?

Eh bien ! ce serait l'idée de Teilhard de Chardin. Il me semble que ça se rapprocherait d'une marche vers le devenir de Dieu. Un de mes amis, Antoine Tresmolières [30], vient de m'envoyer un de ses livres, *Science et spiritualité*, dans lequel il parle justement de cela, et aussi de mécanique quantique et de bien d'autres choses. Il parle de cette fabrication de Dieu en nous, individuellement et collectivement. Et c'est collectivement que nous avons des chances de nous en rendre compte. Hélas ! l'être humain est tellement ancré dans ses atavismes de cerveau reptilien qu'il est difficile d'extirper de son être l'espèce de nécessité de lutter.

29. Jean-Claude BRETON, *Pour trouver sa voie spirituelle*, Centre d'information sur les nouvelles religions, n° 16, Fides, 1992, p. 8.
30. Savant et chercheur belge, biologiste de son métier. Antoine Tresmolières est aussi poète, musicien et auteur de chansons.

Il est très difficile d'actualiser la belle chanson de Raymond Lévesque « Quand les hommes vivront d'amour ». En effet, si on enlève chirurgicalement de l'homme les hormones qui le poussent à la guerre, on lui enlèvera du même coup les hormones qui le poussent à l'amour. Ce serait assez inquiétant! Un peu comme si on enlevait le cœur pour soigner un blocage de l'aorte... On apprend à l'être humain à contrôler tous ses *palins*, tous ses retours en arrière. Jésus est venu sur la terre. Il a parlé de paix et d'amour tout au long de sa vie. Il n'a pratiquement rien fait d'autre. Et il a parlé de compassion. La compassion, *cumpatire*, c'est être capable de « souffrir avec ». À la femme adultère, à Zachée et à d'autres, Jésus a parlé de compassion.

Vous parlez de « celui de plus que moi que je m'efforce d'être »... Vous avez mené des combats, pour le pays, pour la langue. Est-ce que ça pourrait être ça, « celui de plus que moi que je m'efforce d'être », sans dimension religieuse, sans qu'il soit question de foi en Dieu?

Oui, ça pourrait l'être... mais ça ne l'est pas! « Celui de plus que moi que je m'efforce d'être » est quand même plus que cela. Il s'agit de quelque chose de spirituel dont je ne sais pas grand-chose, mais dont je suis persuadé qu'il existe quelque chose. La preuve est facile à faire. Par exemple, la matière noire, on n'arrive pas à la voir dans l'Univers, et pourtant on sait qu'elle existe. Il y a des tas d'invisibilités, dont on sent ou dont on sait techniquement et expérimentalement même que ça existe et qu'on ne peut expliquer, dont on n'a pas les tenants et les aboutissants, pour les mettre en lumière et dire : « Regardez, c'est ça ! Voilà ce qu'on cherchait, on l'a trouvé ! » À mon avis, on ne le trouvera pas. Et ce n'est pas forcément souhaitable non plus, parce qu'il s'agit d'une pulsion en nous, qui vaut autant que la pulsion de mort, qui vaut autant que l'entropie qui nous emmène vers quelque chose de plus que ce que nous sommes.

Je me suis récemment demandé si on ne devrait pas revoir votre œuvre à la lumière de votre foi affirmée…

Vous me faites peur quand vous dites « votre œuvre » !

Quand j'ai revu dernièrement toutes vos chansons, tous vos textes, je me suis surpris à percevoir certaines de vos chansons d'une manière un peu différente, même à en voir certaines comme étant de véritables prières. Peut-être surtout parmi les plus récentes…

Je suis d'accord.

Même la chanson « Mon pays », qu'on a toujours identifiée à la quête d'un pays, semble porter un message spirituel. Il y est question par exemple d'une grande ouverture aux autres, contraire à un repli sur soi. Quand vous dites « Je mets mon temps et mon espace à préparer le feu, la place, pour les humains de l'horizon… et les humains sont de ma race[31] **», on dépasse le pays ! Vous parlez de toute l'humanité !**

---

31. « Mon pays », *Les gens de mon pays*, p. 97.

Oui ! J'ai composé cette chanson à Manic 5, où je participais à un film d'Arthur Lamothe, intitulé *La neige a fondu sur la Manicouagan*. Même si cela m'aurait beaucoup plu, je n'ai pas fait une grande carrière cinématographique, et c'est probablement mieux pour vos yeux et pour les miens. [*rires*] Mais j'avais beaucoup aimé l'expérience. Je me souviens, il faisait 35 sous zéro. Beaucoup trop froid pour tourner. Nous avons donc dû rentrer pour nous mettre à l'abri. Arthur m'avait dit : « Tu te rends compte à quel point il fait froid ! Il faut que tu nous composes quelque chose là-dessus ! » Arthur, qui avait déjà tourné *Les bûcherons de la Manouane*, vient de Saint-Monts, près de Dax, la région de France qui produit le merveilleux vin liquoreux Sainte-Croix…

… un pays de soleil.

Il savait quand même ce que c'était, le froid ! Alors je lui ai dit : « C'est pas un pays, ça, *ciarge*, c'est l'hiver ! » Arthur m'a répondu : « C'est exactement ça que tu dois me dire ! — C'est bon, je vais te la composer, ta chanson. » Je me suis rendu dans la roulotte et je me suis mis à écrire : « Mon pays, ce n'est pas un pays, c'est l'hiver. » Puis, pour faire scansion et *bis repetita placent* : « mon jardin, ce n'est pas un jardin, c'est la plaine ; ma maison, ce n'est pas ma maison… » Par la suite, j'ai composé la musique avec ce que j'avais sous la main, un vieil harmonica. Ainsi est née la chanson « Mon pays ».

Vous y parlez d'un pays qui n'est pas fermé…

… pas du tout. Un pays gelé, mais pas fermé !

Un pays d'accueil. Un peu comme si vous accueilliez en vous les autres.

Oui ! Ma maison, c'est votre maison, et je vais m'organiser pour que vous puissiez bâtir une autre maison juste à côté, ce sera la vôtre ! C'est une chanson d'ouverture.

Vous avez aussi composé une autre chanson, intitulée « Mon pays II[32] », dans laquelle votre pays, c'est une fenêtre, une ville, une province, une planète à reconnaître. La chanson se termine sur une grande interrogation :

> *Je ne sais quel Maître, quel Être,*
> *Je ne sais Qui, je ne sais Quoi,*
> *Qui me voit naître et disparaître*
> *Et qui s'entête à rester coi*
> *Et qui s'entête à rester coi*
> *À des milliards de kilomètres*
> *À des milliards de kilomètres*

Ça, Gilles Vigneault, c'est l'acte de foi sans réponse ?

Absolument ! Ce n'est que ça ! Ce n'est qu'un acte de foi. Et puis, vous trouverez dans mes textes d'autres actes de foi, d'autres témoignages de l'Invisible. Ils sont nombreux.

---

32. *Les gens de mon pays*, p. 160.

Croire en quoi... croire en qui ? Et pourtant, vous croyez !

Je crois parce que pour moi c'est une nécessité. De la même façon que je prie sans savoir qui je prie, sans trop savoir pourquoi. Je crois parce que c'est une nécessité, comme écrire. Mon ami Trémolières affirme : « Si j'ai un patient qui insiste pour que sa croix demeure sur lui pendant que je l'opère, je suis obligé de tenir compte de la dimension de Dieu, parce que sans ce Dieu-là, je ne peux pas l'opérer convenablement. Si instinctivement j'enlève tout, je ne tiens pas compte d'une dimension de son être et je lui cause un stress avant l'opération. Je suis donc obligé de demander à Dieu de rester là, je dois éviter de stresser mon patient en lui enlevant l'objet de sa foi. C'est incontournable. »

Vous croyez, même si de nombreuses questions demeurent sans réponses, questions pour lesquelles vous n'aurez jamais de réponses ?

Peut-être jamais... mais peut-être aurai-je un jour une réponse, ou quelques réponses, ou l'ombre d'une réponse. L'ombre, non, mais peut-être quelques photons d'une réponse... Nous pourrons peut-être aussi découvrir que nous ne méritons pas toutes les réponses. Nous nous sommes souvent mal conduits avec les questions...

Fernand Dumont, auteur que vous aimez bien, en a beaucoup parlé. Dans *Une foi partagée*, il pose toute une série de questions pour lesquelles il n'y a pas de réponse et qui relèvent de la foi. Il écrit : « Quel est le sens de ce monde-ci, pourquoi

a-t-il commencé, pourquoi va-t-il finir, pourquoi le mal et la souffrance, pourquoi la mort[33] ? » J'ai parfois l'impression que, à votre façon, vous posez vous aussi ces mêmes questions.

Qui suis-je ?
Vertige ?
Vestiges
D'étang…

Où vais-je ?
Manège ?
Quel piège
M'attend ?

D'où viens-je,
Méninges ?

Du singe…
Du temps[34].

Oui, c'est un jeu de rimes, pour s'amuser. Un coup de dé n'abolira jamais le hasard, comme disait Mallarmé. Il y a une quête dans le jeu. N'y a-t-il pas en effet une quête dans le jeu de ces gens qui achètent des billets de loterie ?

En tout cas, il y a du rêve…

Il y a du rêve, mais ce n'est pas uniquement une quête d'argent, malgré ce qu'ils en pensent et malgré ce qu'on devrait en penser. C'est une quête plus profonde. Une quête de réalisation de soi ? Une quête d'absolu ? Ce truc qui a tant tarabusté tous les poètes…

---

33. Fernand DUMONT, *Une foi partagée*, p. 18.
34. *Les chemins de pieds*, p. 212.

N'est-ce pas un leurre?

Oui, mais ce leurre ressemble à de la lumière dont on arroserait une plante qu'on appellerait : ESPÉRANCE.

Jouez-vous à la Loto?

Oui, parfois. Je l'avoue. Je suis un humain de ce monde et j'ai l'habitude du rêve…

Le dernier matin

La vieillesse, la mort, le mystère de l'après. On y pense peu quand on a 20 ans, mais quand le temps qui nous reste est beaucoup plus court que le temps vécu, quand on a vu partir tant de gens aimés, comment poursuivre la route sereinement?

À plus de 80 ans, Gilles Vigneault n'a pas encore terminé son ouvrage, il marche toujours, il ne s'est jamais arrêté. Son œuvre grandit encore. Peut-il oublier qu'il y aura un dernier matin?

Quel regard portez-vous maintenant sur la vieillesse?

Un regard un peu mélancolique, mais toujours tendre et indulgent.

Vous savez qu'il y a des questions qui resteront sans réponses et qui feront toujours partie du mystère?

Oui, c'est une des rares certitudes!

LE MYSTÈRE

Quelle est la part du mystère dans votre vie?

Tout d'abord, c'est un truisme de dire que les humains sont extrêmement attirés vers le mystère. Nous sommes attirés par ce que nous ne sommes pas et par ce que nous soupçonnons n'être pas nous. Nous sommes fascinés, et nous n'arrêtons pas de nous en approcher. Par exemple, en ce moment, les humains chercheurs, trouveurs parfois, les physiciens les plus savants étudient l'univers du « nano », de l'infiniment petit, et le cosmos, cherchant à découvrir le mystère de nos véritables origines. Pourquoi la vie? D'où vient la vie? Quelles sont les briques fondamentales de la vie? Il y avait, dans les étoiles, tout ce qu'il fallait pour faire la vie. Nous avons découvert qu'il y a tout ce qu'il faut sur Titan, par exemple, ou sur Encelade, ou sur un satellite de Jupiter ou de Saturne, ou sur une des 615 planètes récemment comptabilisées dans notre galaxie qui doit en contenir des millions… Mais à des années-lumière de nous… Les billets ne sont pas en vente!... Nous découvrons, petit à petit, morceau par morceau, notre véritable origine, et nous ignorons encore si nous sommes seuls dans l'Univers… tout en espérant que ce n'est pas le cas.

Personnellement, je suis absolument certain que Giordano Bruno, en 1600, a été brûlé pour rien, exécuté parce qu'il disait vrai[35]. Il y a dans l'Univers des mondes et des mondes, des millions et des milliards de mondes où foisonne la vie, avec des milliards de galaxies. Dans une galaxie comme la nôtre, contenant environ 140 milliards d'étoiles, il y aurait peu de chances que la Terre soit seule de son genre. Je crois, moi, qu'il y a d'autres formes de vie dans l'Univers.

Il y a, de temps en temps, des transparences qui permettent à l'homme de jeter un coup d'œil très rapide. On n'a pas la permission de regarder très longtemps. Comme dans le monde quantique, aller découvrir que, finalement, un électron peut être le même à deux endroits différents, éloignés l'un de l'autre. C'est l'ubiquité parfaite. On découvre de telles choses, de temps en temps. Cela nous oblige à reconsidérer nos notions de ce que nous appelions le Divin et à reposer la question de Dieu. Je suis persuadé que, plus on creuse dans la science, plus on est près du mystère que le mot Dieu représente. Le seul fait qu'on ait appelé quelque chose Dieu, Allah, Bouddha, Yahvé, le Grand Esprit ou un autre, le seul fait qu'on ait nommé cela, on l'a fait exister. Maintenant, on est pris avec! Il faut jouer avec!

Les savants qui poussent très loin les recherches retrouvent de temps en temps ce mot-là, comme un jouet qu'ils auraient perdu dans leur enfance. Et ils retrouvent tout à coup le mystère qu'il y avait dans ce jouet. En effet, certains physiciens et biologistes m'ont dit que cela ressemblait à un jouet oublié qu'on retrouverait et qui aurait des tas de

---

35. Giordano Bruno (1548-1600) était un philosophe italien. Sur la base des travaux de Nicolas Copernic et de Nicolas de Cues, il montra de manière philosophique la pertinence d'un Univers infini, peuplé d'une quantité innombrable de mondes identiques au nôtre. Accusé d'hérésie par l'Inquisition, il fut condamné à être brûlé vif au terme de huit ans de procès.

choses à nous raconter sur nous-mêmes. Où qu'on aille, on revient toujours à soi.

Les savants cherchent les briques et vont le plus loin possible pour trouver des éléments de vie. Il y a toutefois une question à laquelle nous n'avons pas de réponse : « Pourquoi la vie ? »

D'où vient la vie ? Nous n'avons pas la réponse. Alors, quand on n'est pas astrophysicien ou cosmologiste, on s'invente une réponse. Quand on écrit, quand on imagine des contes, des chansons, des comptines pour les enfants, quand on compose... enfin, quand on croit composer quelque chose de nouveau, on se donne une réponse. Chaque fois qu'on trouve une manière de dire à quelqu'un qu'on l'aime, chaque fois qu'on trouve une manière de dire aux gens qui sont devant nous qu'ils ont des pouvoirs qu'ils ne soupçonnent pas, par exemple, le pouvoir de se faire un pays en posant une petite croix sur un petit papier, à l'heure qu'il faut, à l'endroit qu'il faut, ils ont ce pouvoir énorme de changer le monde pour eux. Si le Québec devient un pays, il aidera beaucoup à changer le monde. Cela changera le monde dans la même proportion que le papillon qui, en battant de l'aile, provoque un ouragan au diable vauvert.

Ainsi, chaque individu a des pouvoirs insoupçonnés. Et l'un de ses pouvoirs, c'est de communiquer avec l'Univers. Appelons cela l'Univers, l'espace, le temps, l'infini... appelons cela n'importe comment, avec de l'absolu. Chacun a ce pouvoir-là. Ce pouvoir-là, il peut être donné parfois simplement par la prière, même dans la solitude.

Dans une chanson intitulée « Dans la nuit des mots[36] », vous affirmez :

Je ne sais pas bien
Si je dois le dire
Mais des fois je sors
De ce corps si gourd
Et je vais très loin
Voir si le vent vire
Au bout de mes jours
Au bout de mes jours

Peut-on croire que votre prière frôle parfois l'inaccessible ?
Une sorte de démarche mystique ?

Je viens d'écrire une chanson intitulée « Vivre debout ».

Vivre… Vivre debout !
Pour me survivre
Délesté de mes vieux tabous
Mais le cœur toujours prêt à suivre
Le pas pressé du caribou
Vivre… Vivre debout !

Vivre les peurs fermées mais la conscience ouverte
Sur l'horizon tremblant entre hier et demain
Vivre entre le début et la fin du chemin
Les cinq sens au repos, le sixième en alerte
Savoir trois électrons que j'appelle mon âme
Jouer au joli jeu de l'immortalité
Voir l'avenir. Rêver d'être et d'avoir été
Voir mon cœur s'entêter à tirer sur les rames.

36. *Bois de marée*, p. 37.

Vivre… Vivre debout!
Pour me survivre
Délesté de mes vieux tabous
Mais le cœur toujours prêt à suivre
Le pas pressé du caribou
Vivre… Vivre debout!

J'apprivoise le temps en réduisant l'espace
Et sans me retourner pour entrevoir le port
Ce passage obligé qui se prend pour la mort
M'apparaît lumineux comme l'œil d'un rapace
Vivre debout et prêt à partir à toute heure
Boire et dormir debout comme font les chevaux
Les pas de liberté inscrits dans leurs sabots
Puisqu'il y a toujours péril en la demeure

Vivre… Vivre debout!
Pour me survivre
Délesté de mes vieux tabous
Mais le cœur toujours prêt à suivre
Le pas pressé du caribou
Vivre… Vivre debout!

Pour défendre trois mots que disait mon grand-père
Apportés par chez nous au temps de Rabelais
En forme de rondeaux, ballade et triolet
Pour que mon petit-fils apprenne au secondaire
Que c'est en perdant ça que les peuples se meurent
Et que c'est acadien de survivre au danger
Qu'être chez soi permet d'accueillir l'étranger
Et qu'il y a toujours péril en la demeure

Vivre... Vivre debout!
Pour me survivre
Délesté de mes vieux tabous
Mais le cœur toujours prêt à suivre
Le pas pressé du caribou
Vivre... Vivre debout!

C'est ma chanson la plus récente.

Je vous le disais plus tôt, vos dernières chansons ont une dimension spirituelle plus évidente...

C'est peut-être parce que je m'approche de la fin! Quand on s'approche de la mort, on s'éloigne moins de soi.

Avez-vous vécu des expériences personnelles, dans la foi, qui vous ont amené à frôler la transparence, un peu comme ces scientifiques qui découvrent deux éléments à des milliers de kilomètres?

Oui, il m'est arrivé de frôler la transparence. Quelques fois. Et cela m'a seulement confirmé dans le fait que je peux croire décemment qu'à mes yeux il n'est pas ridicule de croire, de croire avec naïveté. Et cela n'a pas augmenté ma foi, cela n'a pas changé ma foi.

J'ai adopté il y a très longtemps, une fois pour toutes, le fait de croire en moi au départ, de croire en quelque chose, de croire aux humains qui m'entourent. De croire par exemple que vous, Pierre Maisonneuve, n'êtes pas ici pour me trahir. Vous n'êtes pas ici pour me ridiculiser aux yeux des autres.

Il faut ajouter foi quand on raconte des tas de choses à quelqu'un. On ajoute foi à son honnêteté, à sa probité, à sa rectitude. Cela aussi est un acte de foi. Cela aussi, c'est croire. Mais des actes de foi, on en fait tous les jours. C'est pour moi une certitude. Et si par hasard, un jour, je suis trahi dans ma certitude, par quoi et par qui suis-je trahi ? Eh bien, je suis trahi par moi-même, qui me suis trompé de lieu où mettre ma foi et ma certitude, et par l'autre, qui est lui aussi un humain. Et peut-être me suis-je trompé uniquement par les circonstances qui ont forcé l'autre à me trahir… Il n'est donc même pas de nécessité de pardon. J'en parle difficilement, parce que c'est complexe. Mais au fond, je devrais être capable d'en parler simplement, parce que cela m'apparaît tout simple. Quand on en parle, cela peut facilement être reçu comme du prêchi-prêcha, de la prétention, de la vantardise ou de l'inquiétude. Au fond, on projette son inquiétude sur les autres. Pour moi, ce n'est pas fait comme ça. Je crois et je crois que croire est intéressant.

Vous affirmez qu'il vous est parfois arrivé de frôler la transparence…

Oui, je l'ai frôlée par des moyens très, très simples. On sait aujourd'hui qu'il y a plusieurs parties de notre cerveau qui ne servent à rien ou à peu près. En fait, qui ne *nous* servent à rien, mais qui pourraient servir à quelque chose si nous savions nous en servir, si nous osions nous en servir. C'est le cas par exemple de la télépathie. J'ai vécu plusieurs expériences télépathiques.

Une nuit, alors que j'étais au collège, j'ai fait un rêve. C'était en 1949. Cette nuit-là, j'ai rêvé à mon oncle. C'était un homme probe et honnête, un être au grand cœur, qui m'avait souvent aidé et qui m'aimait beaucoup. Nous travaillions souvent ensemble, sur le quai. Cette nuit-là, dans mon rêve, mon oncle était en bas du quai, près d'une chaloupe. Il se trouvait à côté de la chaloupe, dans l'eau, et il me disait : « Gilles, prends la rame ! » J'ai pris la rame. Mon oncle m'a dit : « Bien. Je vais la tenir et toi, pousse-moi au fond. » Je lui ai dit : « Mon oncle, ça n'a pas de bon sens ! Je vais vous noyer ! » Il m'a dit : « Gilles, je ne te demande pas souvent grand-chose, fais ce que je te demande, s'il te plaît ! Aide-moi ! » Eh bien, j'ai poussé mon oncle, jusqu'à ce que je ne le voie plus. Et je me suis réveillé en sueur. Cette nuit-là, à cette heure précise, mon oncle est mort.

C'était probablement une expérience télépathique. Cela m'apprend aussi autre chose, sur l'existence d'une vie après la mort. L'âme existe, et elle a une vie après la mort. J'ai vécu plusieurs expériences comme celle-là, qui m'ont suffi non pas pour changer ma foi, mais pour la conforter, pour la confirmer. C'est un peu comme si quelqu'un m'avait dit : « Tu peux croire ! Tu as raison de croire ! »

J'ai vécu un jour une expérience un peu semblable avec Félix.

Avec Félix Leclerc...

Oui. Il n'y a pas très longtemps, dans le cadre d'une émission de télévision, madame Jeannine Sutto m'a raconté que

Félix lui avait dit des choses très, très belles, extravagantes, même, à mon sujet. Des choses que Félix ne m'avait jamais dites. Cela remontait à plus de 40 ans. Ce jour-là, c'était un peu comme si Félix m'avait tapé sur l'épaule, de loin, en me disant : « Tu vois, je pensais tout cela de toi. Je ne te l'ai pas dit, parce que je ne voulais pas que ça te monte à la tête. Voyons, de quoi aurais-je eu l'air, moi ? ! » Ce soir-là, j'ai eu l'impression que Félix lui-même me parlait directement. Je ne savais pas quoi répondre. J'étais à la télé, devant public, à l'émission *En direct de l'univers*. J'étais estomaqué et j'avais l'impression que Félix lui-même me disait : « Voilà ce que je pensais de toi, ce que je pense encore de toi, qui continues… »

J'ai connu plusieurs personnes qui ont eu des contacts avec l'au-delà. Deux ou trois d'entre elles ont écrit des livres, m'ont raconté leur expérience, présenté des preuves. Des gens qui n'ont pas tendance à inventer des choses, qui racontent simplement ce qui leur est arrivé. Et moi, je les crois. Parce que je suis un croyant naturel, je crois volontiers. À croire comme je le fais, il m'arrive de me faire tromper, mais ce n'est pas le cas la plupart du temps. Je récolte ces choses que j'entends. Je récolte… Les mots « cueillir » et « recueillement » sont parents. Ce sont de très beaux mots, qui ont quelque chose à voir avec tout cela. Se recueillir… donc se retrouver seul. On revient à la solitude !

Je crois en une vie après la vie, et je crois qu'il vaut la peine de respecter les morts, de bien les traiter, de les enterrer, de se souvenir d'eux, de commémorer leur souvenir, d'aller au cimetière pour les visiter de temps en temps. Tout cela est très répandu sur la terre. Cela est même répandu, semble-t-il, chez les éléphants et certaines autres espèces d'animaux, qui enterrent leurs morts et les considèrent encore comme des êtres importants ! Tout cela me suffit.

J'ai lu récemment un article dans la revue *Ciel et espace*, où l'auteur affirmait qu'il ne fallait désormais croire qu'à la science et cesser de croire en toutes sortes de folies comme Dieu. Je trouve cela très courageux, très audacieux de la part de celui qui a écrit cela. C'est aussi très sympathique et naïf. Il m'apparaît intéressant de voir que quelqu'un déclare à tous ceux et celles qui liront son article qu'il ne faudrait plus croire qu'à la science. C'est même réconfortant : en effet, sans le pôle négatif, le pôle positif ne peut être. Les deux sont essentiels. Ainsi, par cet article, l'auteur rend discrètement hommage à la foi !

On a toutefois tendance, dans une société comme la nôtre, à opposer ceux qui croient et ceux qui ne croient pas, comme on sépare le monde entre la gauche et la droite, etc.

Il est naïf et maladroit de diviser le monde en deux catégories. Les humains ne sont pas catégorisables de cette façon. Certaines personnes qu'on dit « de gauche » ont de terribles pensées de droite ! Et parmi les gens « de droite », certains ont des pensées de gauche intéressantes. Les nuances sont essentielles. C'est la même chose dans les questions de foi, de doute et d'athéisme. Il faut des nuances ! Certains athées ont des incertitudes et quelques incroyances. Et puis de temps en temps, ils font parfaitement confiance à quelqu'un, à quelque chose qui leur semble représenter l'infini ou l'absolu. C'est croire ! Et de l'autre côté, il y a des croyants qui transportent des montagnes de doute, qu'ils n'avouent pas. La réalité ne se divise pas en deux ! Pour moi, un athée, c'est un croyant qui se repose.

LA MORT

Gilles Vigneault, lorsque nous avons abordé la question du silence ou de l'absence de silence, vous nous avez répondu : « Il y a absence de silence pour oublier que nous allons mourir. »

Nous ne voulons pas entendre le mot « mort », nous ne voulons pas penser à la mort. On tente de nous inculquer l'idée qu'il n'y a rien après la mort. Ce mot est donc le plus effrayant de tous, et ce, dans toutes les langues. Aujourd'hui plus que jamais, la mort est une chose que nous tentons d'évacuer, alors que dès l'âge de cinq ou six ans nous savons que nous allons mourir. Moi, j'ai appris que j'allais mourir à la mort de mon frère. J'avais deux ans et demi, et mon frère Yvon est mort à neuf ans. Mes parents avaient une peine immense, que je comprenais. Moi, je restais silencieux devant cela. Mais je savais que la mort était une réalité, que cela pouvait arriver à n'importe qui, même à moi. Je savais que cela pouvait arriver, que cela allait arriver à mes parents. Plus tard, à sept ans, à douze ans, j'ai pris conscience de la mort et, comme tout le monde, je me suis réfugié dans la foi en une vie éternelle après la mort. J'ai vu mes parents éviter la folie, le désespoir et la tristesse permanente grâce à leur foi. Aujourd'hui, tous les enfants peuvent constater la mort, mais elle est vite évacuée. Nous vivons comme si nous étions éternels, immortels. Cela va de pair avec la suppression des limites.

Attention ! Je ne voudrais surtout pas me retrouver, ou que mes enfants se retrouvent, dans la camisole de force du péché que j'ai longtemps portée. Il n'en est pas question. Mais je dois en même temps constater que sans une moralité élémentaire, les limites sont abattues, il n'y a plus de balises… et l'on s'engage sur le pont d'hiver sans avoir testé l'épaisseur de la glace. Les balises et les limites sont précieuses !

Je n'imagine pas qu'il ait été possible dans mon enfance que surviennent des tragédies comme celles dont on parle de plus en plus de nos jours : un enfant se retourne contre ses compagnons de classe et les abat d'un coup de fusil. Je n'arrive pas à imaginer de telles choses à l'époque où j'ai grandi. Nous avions des balises et des limites. Elles étaient parfois trop grosses, énormes même. Souvent, on ne voyait qu'elles. Tout est une question d'équilibre à atteindre, équilibre auquel on n'accède jamais vraiment. Mais une chose est sûre : la suppression totale des limites et des balises ne conduit pas au bonheur.

Vous avez chanté les gens de votre pays. Vous les avez nommés. Gros Pierre, madame Adrienne, monsieur P'tit Pas, mademoiselle Émilie, Joe Hébert, John Débardeur... tous ces gens-là, c'est comme si vous aviez voulu leur donner une sorte d'immortalité.

C'est exactement cela. Je ne vais jamais à Natashquan sans visiter le cimetière. Quand je regardais les tombes de tous ceux et celles qui nous ont précédés, quand je voyais par exemple la pauvre épitaphe, maladroitement inscrite, de Caillou Lapierre, j'étais triste à l'idée que la vie exemplaire de cet homme mort à 96 ans ne serait jamais vraiment reconnue. Un jour, j'ai demandé à Caillou Lapierre où il était né. Il m'a répondu : « Aux îles ! » Il faisait partie des premiers à être venus s'établir à Natashquan. Il avait alors ajouté : « J'avais 10 ans. J'm'étais toujours promis de r'tourner aux îles. — Vous n'y êtes jamais retourné ? — Non. J'ai aperçu les îles au loin en allant chasser le phoque. Des fois, au printemps, loin dans les glaces, on voyait les îles... » Et là, j'ai vu une grosse larme couler sur sa joue. Ça m'a bouleversé. J'avais 17 ou 18 ans. À cause de cette grosse larme bien salée, j'ai écrit la chanson de Caillou Lapierre et quelques autres.

Je trouvais que ce géant devait être nommé. Et je me suis mis à écrire pour nommer des gens qui n'avaient pas encore été nommés, qui n'avaient pas reçu la moindre récompense d'une vie de travail, d'endurance, de vertu, de foi. Tout cela n'avait pas été nommé. Tout cela n'avait pas été dit. Il me semblait que je devais le faire. Voilà pourquoi j'ai créé une galerie d'une cinquantaine de personnages qui, pour moi, sont nommés et finissent par me nommer à leur tour. Jack Monoloy, par exemple, m'a bien plus nommé que moi, je l'ai nommé.

Comment Jack Monoloy vous a-t-il nommé ?

Parce que c'est à moi qu'on attribue sa création.

J'ai demandé un jour à Fernand Seguin[37] pourquoi il avait si peu publié. Il m'avait répondu : « Nous vivons tant que nous sommes présents dans la mémoire d'un vivant. » Ainsi, vos personnages seront vivants tant qu'il y aura des gens qui entonneront ou écouteront vos chansons ?

On donne effectivement à ces gens que l'on nomme, le plus fortement qu'on peut, une espèce de petite immortalité relative, qui en vaut bien d'autres. C'est l'âme qui, de l'au-delà, poursuit son chemin.

Gilles Vigneault, vous arrive-t-il de penser qu'il y aura un dernier matin ?

J'y pense tous les matins ! Je n'y pense pas une fois par semaine ou une fois par mois, j'y pense tous les jours… et cela me laisse raisonnablement serein. J'essaie de faire reculer le dernier matin. J'ai bien l'intention de respecter ma mère jusqu'à la fin ! Ma mère, qui a vécu jusqu'à 101 ans

---

37. Fernand Seguin (1922-1988) était biochimiste et commentateur scientifique. Pionnier de la vulgarisation scientifique au Québec, il a marqué des générations d'auditeurs et de téléspectateurs en transmettant sa passion de connaître.

et quelques mois… J'aimerais bien, par respect pour mes parents, vivre encore un peu et écrire encore quelques petites choses d'un peu convenables et utiles. J'aimerais avoir le temps de le faire. Mais c'est du domaine des hypothèses et du rêve. Alors, j'y pense tous les matins et tous les soirs.

En repensant à cette Franco-Fête avec Robert Charlebois et Félix Leclerc, vous avez parlé de la mort de Félix : « Je pense à Félix, à qui il restait encore quatorze années d'ouvrage. À nous combien[38] ? » Est-ce que le fait de ne pas savoir combien de temps il vous reste vous bouscule, est-ce que cela vous presse dans ce que vous avez à faire ?

Non, parce qu'il faut continuer, coûte que coûte. À mon sens, le plus grand respect qu'on peut avoir pour les morts, c'est de continuer leur ouvrage. J'ai l'impression de poursuivre le travail de Bruno Fecteau, de Robert Bibeau, de Gaston Rochon, de Sylvain Lelièvre, de Félix Leclerc, de Sol, de Claude Léveillée… et de combien d'autres !

Et qui poursuivra votre ouvrage, Gilles Vigneault ?

Il y a en ce moment des jeunes qui sont prêts à le faire. Ils sont jeunes, ils sont intéressants, ils sont passionnés et passionnants, et ils écrivent de mieux en mieux.

---

38. *Bois de marée*, p. 76.

Je reviens à cette chanson, « Entre vos mains [39] », parmi les plus récentes, citée en début de rencontre :

Je ne sais quel vent
J'aurai dans ma voile
Je ne sais quel jour
On m'appellera

[...]

Mon âme tremble
Entre vos mains
Que mes chemins
Vous rassemblent

Votre âme tremble-t-elle toujours ?

Mais mon âme tremble... toujours ! Cette chanson, elle m'est venue des applaudissements reçus à la fin d'un spectacle. « Mon âme tremble entre vos mains et vos chemins actuels, vous qui êtes jeunes, vos chemins me ressemblent. » Et mes chemins *vous* ressemblent. Incidemment, mes chemins vous *rassemblent* aussi. Voilà ce que j'ai pensé en écoutant les applaudissements ce soir-là. Je saluais et je me disais : « Voici une nouvelle chanson à faire ! »

On pourrait aussi comprendre : mon âme tremble parce qu'un jour viendra la fin du spectacle, la fin du spectacle de votre vie...

Quand on applaudit avec du sable dans les mains, on a rapidement les mains vides !

39. *Les gens de mon pays*, p. 436.

Mais nous n'avons d'autre choix que d'accepter qu'un jour nous allons mourir.

Acceptons autrement! Acceptons autre chose! Acceptons qu'un jour nous espérons vivre une autre vie. Plus exaltante, plus intéressante, plus calme et en même temps plus spectaculaire que celle que nous avons vécue.

Est-ce en ce sens que je devrais interpréter ces propos : « On ne saurait aborder en même temps des deux côtés de la rivière. Il faut risquer de perdre une rive à jamais, pour un jour toucher l'autre[40] »?

Ça ne dit pas autre chose!

Vous semblez prendre le temps de voir passer le temps. « Le temps est précieux », avez-vous déjà dit. Est-il encore plus précieux quand on a 80 ans?

Bien sûr! Il raccourcit! Il en reste de moins en moins. Alors on essaie de le faire servir. D'abord à soi-même. Puis aux autres, tout de suite après. Mais si on ne s'aime pas, on ne peut alors bien se servir. Il peut en effet arriver que, pour toutes sortes de raisons, on ne s'aime pas, parce qu'on a été mal aimé. Moi, j'ai eu la chance d'être aimé. Je suis donc capable de m'aimer. Il est sûr que si on ne s'aime pas, on a moins de talent pour aimer les autres, pour savoir ce qu'est être aimé et pour aimer les autres. Savoir se connaître. On se connaît moins bien si l'on ne s'aime pas. Les gens qui ne s'aiment pas ne se connaissent pas. Ils n'ont pas eu la chance d'avoir dans leur vie quelqu'un qui leur dise à quel

40. *L'armoire des jours*, p. 136.

point ils sont importants, non seulement pour eux, mais pour les autres.

Combien de fois cela m'est arrivé, dans des circonstances où je me croyais insignifiant – la plupart du temps avec raison, d'ailleurs –, que quelqu'un me dise une phrase comme : « Ce que vous avez dit, ça m'a aidé à vivre. » Eh bien ! je l'ai aidé à vivre ! Wow ! Jamais je n'aurais cru être aussi important ! Et me voilà, me connaissant mieux, par l'autre qui me dit qui je suis pour lui. Les gens qui désespèrent jusqu'au suicide ne se connaissent pas. Ils n'ont pas eu l'occasion que quelqu'un les connaisse assez pour les faire se connaître.

Vous devez bien vous connaître, vous, Gilles Vigneault !

Un peu, mais ce n'est pas fini ! J'y travaille ! [*rires*]

Quand on vous écoute parler ou chanter, quand on assiste à l'un de vos spectacles, ce que l'on vous dit, c'est que vous nous aidez à vivre. Nous retenons vos phrases, vos propos…

Moi, j'ai eu l'énorme chance de faire ce métier-là et de connaître des gens qui m'ont dit un peu qui j'étais, qui m'ont appris à me sonder, à découvrir encore davantage qui je suis. Je pense ici à monseigneur Labrie qui m'a envoyé étudier, à Ti-Georges Beaulieu. Je pourrais penser aussi à bien d'autres personnes qui m'ont dit à quel point j'étais important, sans le savoir. Cela ne m'est pas monté à la tête, comme on le dit parfois, mais cela m'a en quelque sorte investi d'un pouvoir. Et avec le pouvoir vient la responsabilité. Je crois que nous devons faire attention à ce que nous disons, en particulier aux enfants.

Un jour, une dame Bergeron m'écrit pour me raconter son histoire. Elle se trouvait au Texas, avec son mari et leur fils de 15 ans. Le jeune garçon et sa copine se sont fait renverser par une voiture. La jeune fille s'en est tirée avec quelques contusions, mais leur fils est tombé dans un profond coma et a été hospitalisé. Après trois semaines, les parents n'avaient plus les moyens de payer les soins aux États-Unis. Ils s'apprêtaient à rapatrier leur garçon au Québec. Le vieux médecin qui le soignait leur a demandé : « Y aurait-il un cantique, un hymne, un poème ou une chanson que votre fils aimait beaucoup et qui serait de nature à éveiller son cerveau ? » Les parents se sont placés près du lit de leur fils et se sont mis à chanter « Les amours, les travaux ». Et le jeune s'est réveillé et a repris le refrain avec eux ! J'en ai encore des frissons chaque fois que je le raconte…

Un soir, dans ma loge au TNM, arrive un jeune homme qui me dit : « Je m'appelle Stéphane. — Bonsoir, Stéphane ! — Stéphane Bergeron. — Enchanté, Stéphane Bergeron. Moi, c'est Gilles Vigneault. » Et là, le jeune homme m'a dit : « Eh bien ! c'est moi, le garçon que vous avez sauvé. — Quand ça ? — Ma mère vous a écrit pour vous raconter que j'étais dans le coma et que… — Et tu es encore vivant !? » Tu vois ce que ça peut faire, une chanson ! Je n'en revenais pas. Alors, attention ! Au début, ça flatte, bien sûr ! Hé, c'est ma chanson qui l'a réveillé ! Non. C'est lui qui a aimé ma chanson, qui se l'est appropriée et s'est réveillé avec elle. Il s'en est servi. Mais en même temps, c'est moi qui l'ai écrite… Cela responsabilise. Et le lendemain, en spectacle, quand tu chantes « Tout le monde est malheureux… », tu te dis : « Fais attention à ce que tu dis ! » [*rires*]

L'après : l'héritage

Dans ce voyage intérieur, Gilles Vigneault nous a fait découvrir une dimension de la tradition japonaise envers ses poètes. Il nous a entraînés sur la piste du poète japonais Bashô, trouveur de haïkus du XVIIe siècle. Au détour d'un chemin, raconte-t-il, il est arrivé à une sorte de sanctuaire. Une inscription indiquait qu'un jour de pluie le poète Bashô s'était arrêté à cet endroit pour se mettre à l'abri : « Trois siècles plus tard, on ornait l'endroit de fleurs champêtres et on y brûlait de l'encens[41]… »

Que restera-t-il de ses poèmes, de ses chansons, de ses almanachs, de ses contes, de ses personnages ? Comme son vieil harmonium, sera-t-il condamné à l'oubli, et son œuvre avec lui ? Qui viendra fouiller dans son grenier pour y retrouver ses belles histoires du passé ?

41. *L'armoire des jours*, p. 14.

⌒〜 〜⌒

Souhaitez-vous que, pendant des siècles et des siècles, on se souvienne de vous?

Je n'aurais pas cette prétention, mais je le souhaiterais bien. Je trouverais cela élégant… [*rires*] Toutefois, je n'oserais en rêver, ni surtout le demander.

Le vieil harmonium[42]

Le vieil harmonium de l'église
Se dessèche dans la remise
Entre deux anciens chandeliers
Et quatre très vieux candélabres.
Et tout cela qui se délabre
Et qu'on s'efforce d'oublier…
Les credo *et les* kyrie
Et les motets et les cantiques…
Il est interdit de musique
Le vieil orgue, et contrarié!

J'aimerais tromper son ennui
Imaginer qu'en pleine nuit
La chorale des anciens chantres
Revienne chanter quelque psaume
Aux feux vacillants des lampions.

---

42. *Les chemins de pieds*, p. 37.

Mais, tel un roi de son royaume,
Le vieil harmonium en exil
Finit par apprendre à se taire.
Je veux respecter son mystère…

Ainsi soit-il.

Souhaitez-vous qu'on découvre les trésors du grenier, vos poèmes et aussi le vieil harmonium ? Vous écrivez en effet : « Tel un roi de son royaume, le vieil harmonium en exil finit par apprendre à se taire. Je veux respecter son mystère… Ainsi soit-il. »

Le mystère de ce vieil harmonium, c'est tout ce qui m'était apparu comme mystérieux dans la musique et dans le rituel sacré. L'harmonium, je l'entendais à l'église. Aujourd'hui encore, j'ai conservé, dans ma maison à Natashquan, le vieil harmonium que mon grand-père avait acheté à ma mère à l'époque où elle était maîtresse d'école. Le vieil harmonium, pour moi, c'est mon rêve de devenir musicien qui ne s'est jamais réalisé, pour différentes raisons. J'ai probablement été trop bavard, trop distrait. Il n'en demeure pas moins que j'ai beaucoup rêvé sur cet harmonium, il m'a énormément apporté, beaucoup plus que je ne saurais décrire aujourd'hui. Et pourtant, c'est un objet !

Au fond, il avait bien raison, Alphonse de Lamartine, quand il écrivait : « Objets inanimés, avez-vous donc une âme qui s'attache à notre âme et la force d'aimer[43] ? » Les objets anciens ont tous une horloge, et le temps s'y loge et s'y trouve bien.

---

43. Alphonse DE LAMARTINE, « Milly ou la terre natale », dans *Harmonies poétiques et religieuses*, 1830.

J'aime beaucoup les objets anciens. Le vieux piano que vous voyez là, il était à Natashquan; je l'ai fait transporter jusqu'ici. Il a été retapé, remis à neuf. C'est à ce moment-là que j'ai appris qu'il avait été fabriqué par des Allemands, les Heintzman, en 1900. Cet objet a déjà plus de 110 ans et il est en parfait état. Il pourra servir encore longtemps, à moi et aux générations qui suivront. Je trouve fascinant que les objets nous survivent. Bien sûr, cet objet va vivre au-delà de moi, comme il a vécu au-delà de ceux qui l'ont fabriqué. Dans cet objet, il y a l'histoire de l'humanité! J'invente, je trouve, je fabrique un objet qui fait de la musique, puis je disparais. Ensuite, quelqu'un d'autre fait de la musique avec l'objet que j'ai fabriqué.

Le vieil harmonium, le vieux piano, ce sont des instruments pour la musique. Et dans les motets, les cantiques, les *credo*, les *kyrie*... y a-t-il quelque chose à conserver, à découvrir?

Oui, il y a des choses à garder là-dedans. Mais vous savez, le plus beau cadeau qu'on puisse faire à des enfants, c'est bien sûr de leur consacrer du temps; et le deuxième plus beau cadeau à leur faire, c'est d'éveiller leur curiosité. Il faudrait que tous les enfants du Québec aient aujourd'hui la curiosité de savoir ce qui s'est passé avant eux au Québec, la curiosité de leur histoire. Si c'était le cas, le lendemain, nous aurions un pays!

Et si le vieil harmonium et l'Église catholique avaient fait leur temps, par quel chemin ceux qui suivent pourraient-ils retrouver vos fragments, vos mots, vos chansons et vos prières?

Par les chemins de solitude. Il est très difficile aujourd'hui de s'isoler. Mais si on cherche, on trouve. Saint Augustin met sur les lèvres de Dieu cette phrase qui m'a toujours impressionné par sa beauté et sa poésie : « Tu ne me chercherais pas si tu ne m'avais déjà trouvé. » Aux enfants d'aujourd'hui, je souhaite la curiosité pour trouver tout cela, mais une curiosité plus grande encore pour se trouver.

*G*illes Vigneault nous a ouvert la porte de son pays intérieur, plus vaste que le pays qu'il a tant chanté.

Fidèle à ceux qui l'ont précédé, à ceux qui l'ont instruit, il ne renie rien de son passé, il assume son présent et anticipe son avenir. Il nous peint des tableaux de lumière : vie simple de Natashquan, univers culturel exceptionnel de son *alma mater* à Rimouski, découverte de Québec et ensuite du monde. Il conserve intactes des valeurs acquises aux jours de la grande noirceur, comme on a baptisé l'avant-Révolution tranquille québécoise.

Les plus vieux d'entre nous, qui comme Vigneault sont dans la dernière étape de leur vie, reconnaîtront les sentiers empruntés par le poète.

Les plus jeunes, qui n'ont pas été initiés à ces temps difficiles faits de fidélité, de persévérance et de courage, seront peut-être surpris. Il faudra sans doute que de nouveaux historiens explorent ce passé.

Aujourd'hui, des jeunes et des moins jeunes cherchent des réponses à leur quête spirituelle. Nombreux sont ceux qui marchent dans les pas des pèlerins d'hier, vers Compostelle ou ailleurs.

Gilles Vigneault poursuit sa longue marche sur les chemins de pieds tracés par les anciens. Il ne cherche pas à convertir, il a la foi, mais n'impose rien. Il témoigne.

Pour répondre à son appel intérieur, il a fait le pari de croire.

Et vous, quelle est votre réponse?

Ouvrages consultés

Breton, Jean-Claude. *Pour trouver sa voie spirituelle*, Saint-Laurent, Fides, 1992.

Dumont, Fernand. *Une foi partagée* (coll. « L'essentiel »), Saint-Laurent, Bellarmin, 1996.

Grand'Maison, Jacques. *Réenchanter la vie*, Saint-Laurent, Fides, 2002.

Legras, Marc. *Gilles Vigneault de Natashquan*, Paris/Brézolles, Fayard/Chorus, 2008.

Vadeboncœur, Pierre. *La clef de voûte*, Montréal, Bellarmin, 2008.

Vigneault, Gilles. *Bois de marée*, Montréal, Nouvelles éditions de L'Arc, 1992.

Vigneault, Gilles. *L'armoire des jours*, Montréal, Nouvelles éditions de L'Arc, 1998.

Vigneault, Gilles. *Les chemins de pieds*, Montréal, Nouvelles éditions de L'Arc, 2004.

Vigneault, Gilles. *Les gens de mon pays : l'intégrale des chansons enregistrées par l'artiste*, Paris/Montréal, Éditions de L'Archipel/Édipresse, 2005.

Table des matières

   100%   PERMANENT

Imprimé sur Rolland Enviro 100, contenant 100% de fibres recyclées postconsommation, certifié Éco-Logo, Procédé sans chlore, FSC® Recyclé et fabriqué à partir d'énergie biogaz.